Comme un chien

DU MEME AUTEUR

Les choses que l'on ne dit pas, poème, avec des gravures de Anne Leloup, Esperluète, 2006

Avec le soutien de la Communauté française de Belgique.

Daniel Arnaut

roman

Comme un chien

illustré des dessins de

Guy Prévost

& esperluète éditions

1

L'annonce était rédigée dans ces termes : « Propriétaire Triumph TR5 cherche mécanicien pour travail spécialisé. Très bonne rémunération, discrétion garantie. » Suivaient un numéro de portable et un code de référence. Je l'ai relue à plusieurs reprises, tant j'avais du mal à en croire mes yeux. Mécanicien c'était ma partie, enfin ça l'avait été jusqu'il y a quelques semaines, avant que je me dispute avec mon employeur et que j'envoie tout promener. Depuis, je cherchais du travail, de préférence des petits boulots, et qui paient bien, car les autres, les vrais, les boulots réguliers, ils n'étaient pas faits pour moi, ou alors c'est moi qui n'étais pas fait pour eux. Ma première occupation de la journée, c'était d'acheter le journal et de regarder les petites annonces. J'en avais épluché des centaines et des centaines, sans résultat : soit le travail avait l'air intéressant mais je n'avais pas les qualifications demandées, soit il était dans mes cordes mais il ne me disait rien du tout. Et puis là, juste en bas d'une colonne, le miracle que je n'espérais même plus.

Avant d'en revenir à l'annonce et aux événements qu'elle a déclenchés, je dois apporter quelques précisions. J'ai une formation d'électricien automobile. Mon certificat d'études techniques en poche, j'ai été engagé dans un petit garage familial, on était quatre personnes en tout, le père, ses deux fils et moi. Charly, le patron, était un brave type, un peu ronchon mais honnête, le genre à vous donner l'amour du métier, pas comme l'autre qui maltraitait son personnel. Par la force des choses, les deux ans où j'ai été là-bas, j'ai appris à faire un peu de tout, ce qui m'a été bien utile par la suite. Il se trouve que Charly avait une passion pour les vieilles voitures. Son père à lui avait bossé dans une usine de la région qui à l'origine fabriquait ses propres modèles, avant de travailler en sous-traitance pour des constructeurs anglais et italiens. À la fin des années soixante, l'usine avait été contrainte de fermer ses portes, victime des premières grandes restructurations du secteur. Une partie des bâtiments existent toujours, ils abritent une petit musée sans prétention où sont exposés quelques modèles de la gamme. Sur le toit d'un atelier on peut voir un vestige de l'ancienne piste d'essai (un petit bout de tournant en béton fortement relevé), qui, toutes proportions gardées reproduisait celle des usines Ferrari à Maranello.

Il y avait dans l'atelier de Charly un panneau avec des photos de voitures et d'anciennes publicités de la firme. À force d'en parler, il avait fini par me transmettre le virus, je suis devenu à mon tour un amateur de vieilles Triumph, en particulier des modèles sport dits roadsters. À vrai dire mon goût pour les voitures anciennes remontait à bien plus longtemps. Enfant, j'étais un fan de Jaguar, de Maserati et de Lamborghini, ces monstres de la route qui valaient des fortunes. J'en possédais des modèles réduits alignés sur une étagère dans ma chambre, je collectionnais les affiches, les revues et les livres qui en parlaient. Je les ai dessinés d'innombrables fois et sous tous les angles, à la fin je pouvais presque le faire les yeux fermés, et je crois que j'en serais encore capable aujourd'hui. Par la suite, quand j'avais commencé à gagner ma vie, j'avais rabattu un peu mes prétentions, je m'étais tourné vers des voitures moins coûteuses, dont la Triumph faisait partie.

J'ai moi-même possédé une Triumph TR3, la petite sœur de la TR5 dont il était question dans l'annonce. La TR3 n'est sans doute pas la plus belle voiture de sport qui existe, il y en a de plus racées et de plus rapides, je suis le premier à en convenir. Mais j'en suis tombé amoureux, un peu comme on tombe amoureux d'une femme. C'est quelque chose qui ne s'explique pas, c'est celle-là qui vous touche et pas une autre, vous l'aimez dans son ensemble et vous l'aimez dans chacun de ses détails. Chaque fois que je vois une TR3, je ressens la même émotion devant ses formes arrondies, la courbe de l'aile avant qui traverse la porte et se prolonge jusqu'à l'aile arrière, ses phares tout ronds comme des yeux et sa calandre qui fait penser à une bouche. Ma voiture était rouge avec une capote et des sièges noirs. Je n'aurais permis à personne d'autre de la conduire, j'acceptais à la rigueur de prendre un passager, mais mon véritable plaisir était de rouler seul. Je l'ai gardée pendant cinq ans, jusqu'au moment où je me suis marié et que les enfants sont arrivés. Il a fallu acheter une voiture mieux adaptée à la vie familiale, et comme nous n'avions pas les moyens d'entretenir deux véhicules, j'ai dû me défaire de la Triumph la mort dans l'âme. La TR5 est assez différente de la TR3. Elle a été redessinée par un ingénieur italien, ses formes sont plus rectilignes, elle est plus grande et plus puissante, certains diront qu'elle est aussi plus élégante. De fait, c'est une voiture splendide, même si je continue à lui préférer la TR3. La TR5 n'a été produite qu'à trois mille exemplaires, si bien qu'elle est aujourd'hui assez recherchée – il n'est pas rare qu'un spécimen en bon état et n'ayant pas trop roulé dépasse les trente mille euros sur le marché de l'occasion.

Tout ceci pour dire que, le matin où j'ai vu l'annonce, j'ai eu un véritable coup au cœur, à croire qu'elle avait été rédigée exprès pour moi. J'ai décroché mon téléphone et composé le numéro de portable. Je suis tombé sur un type avec une voix sourde et un peu rauque, mais très distinguée. Il n'avait pas l'accent des gens du coin, il s'exprimait avec une certaine recherche, en faisant des phrases bien correctes et tout. Je n'ai pas eu le temps de me faire une opinion plus précise, car la conversation a duré à peine une minute. Lorsque j'ai cherché à savoir en quoi consistait précisément le travail, il m'a répondu qu'il ne voulait pas en dire plus au téléphone, que si j'étais intéressé par sa proposition, il préférait qu'on se rencontre pour en parler, qu'alors il me donnerait tous les éléments nécessaires. Il m'a demandé quand j'avais un moment de libre. J'ai souri intérieurement. Des moments libres, je n'avais que ça, mais je me suis bien gardé de le lui dire, j'ai juste répondu que mon horaire était assez souple. Sur quoi il m'a proposé un rendez-vous pour la fin de la matinée, dans un bistrot que je ne connaissais pas et dont il m'a donné l'adresse. J'ai dit que ça me convenait, il a dit très bien, et on a raccroché.

Après coup, j'ai repensé à quelque chose. Il ne m'avait pas dit à quoi il ressemblait, ni donné un signe qui me permettrait de le reconnaître – comment il serait habillé, à quelle table il se trouverait, quel journal il aurait à la main. Et je n'avais pas pensé à le lui demander, pourtant d'habitude ce n'est pas le genre de précisions que j'oublie. J'aurais pu le rappeler mais je ne l'ai pas fait, peut-être par une espèce de superstition, l'idée qu'il fallait laisser faire le hasard, que si je ne le reconnaissais pas, c'est qu'on n'était pas destinés à se rencontrer.

2

Une fois rentré chez moi, après avoir un peu tournicoté dans la maison, j'ai bu des bières en lisant un roman policier que j'avais commencé la veille. C'était bien fichu comme bouquin, et pourtant je n'arrivais pas à me concentrer sur l'intrigue. Je lisais les mots sans comprendre les phrases, je devais tout le temps revenir en arrière, relire des paragraphes entiers que j'avais déjà lus, en fait je n'arrêtais pas de penser à l'annonce dans le journal, les deux choses se mélangeaient dans ma tête comme si elles faisaient partie de la même histoire. À la fin j'en ai eu marre, j'ai enfilé ma veste et je suis sorti. J'ai décidé d'aller à pied jusqu'au lieu du rendez-vous. Enfin décidé, c'est beaucoup dire : la vérité est que je n'avais pas le choix, je n'avais plus de voiture depuis le jour où j'avais failli tuer quelqu'un, une jeune femme qui s'était pratiquement jetée sous mes roues. Même si je n'avais pas bu, je n'aurais rien pu faire pour l'éviter, mais manque de bol ce soir-là je revenais de chez un ami, j'avais bu cinq ou six bières pas plus, n'empêche que quand j'avais soufflé dans l'appareil, les flics m'avaient dit que j'avais 1,4 gramme dans le sang, à l'époque je crois que c'était encore autorisé jusqu'à 0,8 gramme. La femme s'en était sortie avec une jambe cassée, moi j'avais écopé de deux ans avec

sursis et de trois mille euros d'amende, plus le retrait du permis parce que j'avais déjà un antécédent. Les trois mille euros, je dois reconnaître qu'ils m'ont fait mal, quant à la suspension du permis je m'en fichais, parce qu'après cet accident j'ai décidé de ne plus jamais conduire de voiture, et de me contenter de réparer celles des autres.

J'ai marché lentement, en faisant de nombreux détours. Malgré cela je suis arrivé bien en avance, quand je suis entré l'endroit était presque vide, à part le patron et la fille du comptoir, il n'y avait que trois ou quatre consommateurs. Je suis allé m'installer à une table du fond, d'où je pouvais surveiller la porte d'entrée, j'ai commandé un café et j'ai attendu. Un poivrot était assis un peu à l'écart avec un chien couché à ses pieds. Il avait le visage creusé de rides profondes et une barbe hirsute couleur poivre et sel, il portait un bonnet en laine, un manteau vert pâle à petits chevrons et des mitaines crasseuses et trouées. Il tenait sa grosse pogne devant sa figure, tous les doigts repliés sauf celui du milieu qu'il examinait avec attention, l'air de dire qu'est-ce que j'en fais de celui-là, est-ce que je vais le porter aux objets trouvés ou est-ce que je me le mets dans le derrière pour connaître ma température ? Dans un coin, de jeunes gars s'escrimaient sur des billards électriques, un homme entre deux âges était plongé dans son journal, de temps à autre il tapait dessus avec le dos de la main et lisait à voix haute des passages ou faisait des commentaires que personne n'écoutait. J'ai sorti le mien de ma poche et j'ai parcouru la rubrique des faits divers. Il y avait un article qui parlait d'un noyé, un homme qu'on avait repêché dans le fleuve, il avait disparu à un endroit et on l'avait retrouvé trente kilomètres plus loin. À ce que disait un médecin légiste, il avait dû séjourner environ trois mois dans l'eau, avant qu'un pêcheur le découvre parmi les hautes herbes de la berge. J'ai essayé un moment d'imaginer quel aspect pouvait avoir un type qui a passé trois mois dans la flotte, mais c'était vraiment trop répugnant et j'ai cessé d'y penser.

Chaque fois qu'un nouveau client se présentait, je levais la tête et je le dévisageais, mais un bref regard suffisait pour me rendre compte qu'il ne s'agissait pas du type que j'avais eu au téléphone. Un peu avant onze heures est entré un homme vêtu d'une gabardine beige. Il était mince et très grand, avec le dos légèrement voûté, les cheveux bruns et une barbe. Il s'est arrêté un moment près de la porte, a parcouru la salle des yeux et est allé s'asseoir sur la banquette, dos au miroir qui occupait presque tout le pan de mur. D'où je me trouvais, je pouvais l'examiner à mon aise sans qu'il me voie, à moins de tourner la tête dans ma direction. J'étais sûr que c'était mon homme, je l'avais reconnu au premier coup d'œil, bien que reconnu ne soit peut-être pas le terme exact, puisque je ne le connaissais pas encore – disons plutôt que j'avais su tout de suite que c'était lui, rien qu'à son allure et à sa façon de se tenir. Il a sorti de sa poche des lunettes rectangulaires sans monture, s'est plongé dans la lecture de la carte et a commandé un cappuccino. Cette fois, plus de doute, c'était bien la voix du téléphone. J'ai fini mon café et je suis allé à sa table. Lorsque je suis arrivé à sa hauteur, il s'est levé, a esquissé un vague sourire et m'a serré la main d'une poigne vigoureuse. Il m'a demandé si j'avais trouvé facilement, puis sans me laisser le temps de répondre, il a enchaîné en s'excusant de m'avoir fait attendre. J'ai répondu qu'il n'y avait pas de quoi, que c'est moi qui étais en avance.

On s'est rassis tous les deux, j'ai commandé un autre café. Il s'est écoulé une minute sans que personne ne parle. Le type faisait tourner la cuiller dans sa tasse comme s'il y cherchait l'inspiration. Je voyais les cernes bruns sous ses yeux, les cheveux mi-longs qui lui retombaient sur les tempes, la barbe soigneusement taillée avec quelques poils gris dedans, je me demandais quel âge il pouvait bien avoir, quarante-cinq ans ou peut-être un peu plus. Je ne savais pas ce qu'il attendait pour en venir au fait, nous n'avions pas à aborder de sujet particulièrement grave, pourtant on aurait dit que ça lui pesait d'en parler. Il a fait tinter deux ou trois fois la cuiller contre le bord de la tasse et l'a reposée délicatement sur la soucoupe, puis il a plongé son regard dans le mien. Il avait des yeux très noirs qui semblaient vouloir vous sonder au fond de vous-même, avec quelque chose de tendu et de fiévreux comme chez les gens qui souffrent d'insomnie. Il s'est éclairci la voix, a pris une grande inspiration et s'est enfin jeté à l'eau.

Voilà, a-t-il dit. Vous avez vu l'annonce du journal. La voiture en question a eu un accident, un accident assez grave. Il a marqué une pause, a sorti un paquet de cigarettes de sa poche, des Gitanes fortes et sans filtre. Il me l'a tendu, j'ai fait non de la main. Il en a sorti une du paquet, l'a tapotée sur la table, l'a glissée entre ses lèvres sans l'allumer. Comment est-ce arrivé? ai-je demandé. Eh bien, a-t-il répondu, cela va vous étonner, mais je l'ignore moi-même. Tout ce que je sais, c'est que j'étais au volant, je roulais sur une route de campagne, et l'instant d'après je n'étais plus sur la route, j'étais encastré dans un tas de ferraille tordue. Je n'arrivais plus à bouger les jambes, je voyais du sang sur le tableau de bord, sur le pare-brise, sur mes mains. La première pensée qui m'est venue a été que je ne marcherais plus jamais, que j'allais passer le reste de ma vie dans une chaise roulante. Finalement, je m'en suis sorti avec des blessures superficielles. Une cheville tordue, une légère commotion cérébrale, quelques coupures au cuir chevelu et au visage. Il a désigné un endroit sur son front où apparaissait la marque d'une cicatrice. Qu'est-ce qu'il s'est passé? ai-je demandé. Vous avez eu un malaise? Il a retiré la cigarette de sa bouche et l'a tenue entre les doigts tout en jouant avec son briquet. Je vous l'ai dit, a-t-il répondu, je n'en sais rien du tout. Si les miracles existent, ceci en est assurément un. Disons plutôt que j'ai eu de la chance. Beaucoup de chance. Bref : si je m'en suis tiré à bon compte, on ne peut pas en dire autant de la voiture. Elle est dans un sale état. Pour ne rien vous cacher, elle est presque entièrement détruite. Si c'était une voiture ordinaire, on la déclasserait sans hésiter une seconde. Mais il s'agit d'une Triumph TR5, un modèle dont il doit rester à peine quelques centaines d'exemplaires dans le monde. C'est pourquoi je tiens à la récupérer, si toutefois c'est encore possible. Et cela, je compte sur vous pour me le dire.

Cette fois, il a allumé sa cigarette. Il a tiré un grand coup dessus et a avalé toute la fumée. Il m'a redemandé si je n'en voulais pas une, sans doute que je le regardais comme si j'en mourais d'envie – et le fait est que j'en mourais d'envie. Je lui ai répondu que j'avais arrêté il y a six semaines, il m'a demandé si ça me gênait qu'il fume, je lui ai dit que non, bien sûr. Bon, ai-je continué, et où est-elle? La voiture, je veux dire. Enfin l'épave. Mais au lieu de répondre à ma question, il s'est mis à parler d'autre chose, sans changer vraiment de sujet. Il y a une deuxième raison pour laquelle je tiens à cette voiture, a-t-il dit. En réalité, c'est même la raison principale. Elle a appartenu à mon père. Mon père était amateur de vieilles automobiles, il en possédait une jolie collection. Et puis un beau jour, il a décidé de s'en débarrasser sur un coup de tête. Mon père était ainsi, il se passionnait pour quelque chose, et quand il avait atteint son but, ça cessait de l'intéresser, il tournait la page et passait à autre chose. Avant les vieilles voitures, il avait collectionné les armes, et avant les armes les livres rares. Le type a sorti une photo de son portefeuille et me l'a tendue. On y voyait un homme encore jeune, une quarantaine d'années environ, à bord d'une Triumph TR5 blanche, les mains posées sur le volant. Il avait des cheveux ondulés séparés en deux par une raie, il souriait d'une façon un peu mystérieuse, à la façon de quelqu'un qui est fier de piloter un tel engin, mais en même temps n'a pas trop envie de le montrer. J'ai trouvé qu'il ne ressemblait pas beaucoup à son fils, ou plutôt que son fils ne lui ressemblait pas beaucoup, mais je me suis abstenu d'en faire la remarque. Donc, a continué le type, un jour il a revendu toutes ses voitures, à l'exception d'une seule qu'il m'a laissée en héritage. Ce n'était pas le clou de sa collection, il en avait de plus anciennes et de plus coûteuses, mais c'est celle-là qu'il avait choisi de me léguer, là non plus je ne peux pas vous en dire la raison. Peut-être comprenez-vous mieux pourquoi j'y tiens tellement.

Il a aspiré une longue bouffée, a renversé la tête en arrière et a expulsé la fumée vers le plafond. Si vous acceptez de faire le travail, a-t-il dit en baissant la voix, je vous propose cinq mille euros, payables immédiatement et en espèces. Je parle de la main-d'œuvre, les pièces ne sont pas comprises. Et, sauf si sous le souhaitez expressément, nous ne sommes pas obligés de faire de facture. Non, ai-je dit, je crois que ce ne sera pas nécessaire. J'essayais de dissimuler ma satisfaction au type. Cinq mille euros pour rafistoler une voiture, ça faisait un joli petit paquet d'argent. Même si elle était dans un état pitoyable, même si ça me prenait des semaines pour lui refaire une beauté, je ne voyais pas quel autre boulot aurait pu me rapporter une somme pareille. D'autant plus qu'il s'agissait d'une Triumph TR5, une voiture que j'aurais presque accepté de réparer pour rien, tant l'idée de mettre mes mains sous les jupes de cette petite salope m'excitait. Je me sentais tellement euphorique que j'avais du mal à garder la tête froide. C'est la voix du type qui m'a ramené à la réalité. Qu'est-ce qui se passe? a-t-il demandé d'un air inquiet. Ma proposition ne vous intéresse pas? Vous trouvez mon offre insuffisante? Je peux aller jusqu'à huit mille euros. Quand il m'a sorti ça, je me suis demandé si j'avais bien entendu. Je percevais comme en rêve les bruits dans le bistrot, les conversations des autres clients, les ting ting du billard électrique, le crachotement du percolateur sur le comptoir. Comme je ne disais toujours rien, c'est encore lui qui a repris la parole. Dix mille euros, c'est vraiment le maximum, je ne peux pas aller plus haut. Pour dix mille euros, est-ce que ça marche? J'ai pensé que l'existence était vraiment bizarre : en quelques secondes, je venais de gagner cinq mille euros de bonus, plus que je n'en avais économisé de toute ma vie, et cela sans devoir lever le petit doigt, sans même avoir à prononcer un mot, pas souvent qu'une chose pareille risquait de m'arriver. Malgré ce qu'il avait dit, qu'il ne pouvait pas proposer plus, j'étais persuadé qu'en insistant, il aurait été possible d'en tirer davantage. Mais j'avais un peu honte de moi, je ne voulais pas qu'il me prenne pour un individu vénal, qu'il croie que je profitais de la situation pour faire monter les enchères.

À ce moment, j'ai été pris d'une hésitation soudaine. Comme une voix intérieure qui me mettait en garde, qui me disait de ne pas aller trop vite pour conclure l'affaire, qu'il y avait là-dessous quelque chose de pas tout à fait catholique. Alors? a fait le type en tambourinant sur la table. Alors, ai-je répondu, si ça ne vous ennuie pas, j'aimerais pouvoir réfléchir un peu. Le type a eu l'air contrarié, il a fait claquer deux ou trois fois sa langue, a touillé son café comme s'il y avait laissé tomber quelque chose, un bouton de manchette, une pièce de monnaie, un morceau de dent. Bien, a-t-il dit sèchement. Puisque c'est ainsi, oublions. Excusez-moi de vous avoir dérangé pour rien. Il a fait mine de se lever, je l'ai arrêté en posant ma main sur son avant-bras, il a eu un mouvement de recul comme s'il avait reçu une décharge électrique. Attendez, ai-je fait, une petite minute. Je n'ai pas dit que je refusais, j'ai seulement dit que j'avais besoin de réfléchir. Le type s'est rassis, il a tiré très fort sur sa cigarette, et au lieu de l'éteindre dans le cendrier, il s'en est servi pour en allumer une autre, la quatrième ou la cinquième depuis qu'on était ensemble. Je voyais ses yeux profondément enfoncés dans les orbites, le blanc injecté de fines veines rouges, les prunelles dilatées. Et de combien de temps avez-vous besoin pour prendre votre décision ? a-t-il demandé. Disons, demain matin, ai-je répondu. Comme dit le proverbe, la nuit porte conseil. De nouveau il a eu l'air contrarié, il a dit sur un ton insistant, je préférerais que ce soit aujourd'hui. J'ai dit d'accord, je rappellerai cet après-midi, à cinq heures au plus tard. Il a paru soulagé. D'accord, cet après-midi à cinq heures, j'attends votre coup de fil. Au cas où vous accepteriez, il faut que je vous indique où se trouve la voiture. Elle n'est pas chez vous ? me suis-je étonné. Non, a-t-il dit, elle n'est pas chez moi. Comme l'endroit est un peu à l'écart, je vais vous faire un plan des lieux, ce sera plus simple que de vous l'expliquer au téléphone. Il a dessiné un croquis sur le journal, avec un tas d'indications, des numéros, des noms, des flèches. Le lieu où on devait se retrouver était marqué par une croix. Pour être sûr que je l'appelle, il a ajouté son numéro de portable, même si forcément je le connaissais, puisqu'il se trouvait dans le journal et que je l'avais utilisé le matin même.

Au moment de s'en aller, il a sorti de sa poche un petit flacon en plastique et a versé deux comprimés bleus dans la paume de sa main. Pour la tête, a-t-il fait, en désignant la sienne de l'index, comme si je ne savais pas où elle se trouvait. Il les a avalés avec une gorgée de café en faisant la grimace. J'ai supposé qu'il devait avoir la migraine, même si les antidouleurs sont plutôt blancs d'ordinaire. Il s'est levé, m'a serré la main et s'est dirigé vers la sortie. Au moment de franchir la porte, il s'est arrêté comme s'il avait oublié quelque chose, puis il s'est ravisé et s'est éloigné à grandes enjambées. Le poivrot était toujours là, à la même place que tout à l'heure, indifférent aux allées et venues, avec le chien à ses pieds qui roupillait comme un bienheureux. Il s'était mis à compter sur ses doigts, ou plutôt non, il comptait ses doigts, des fois qu'il en aurait manqué un, des fois qu'on le lui aurait fauché dans un moment d'inattention. Et le résultat n'avait pas l'air de le satisfaire, parce que sitôt qu'il avait fini il recommençait à les compter. Quand je me suis décidé à partir à mon tour, j'ai voulu payer mes consommations au comptoir, mais le patron m'a dit que je ne devais rien, le type avait déjà réglé la note. J'avais à peine fait quelques pas dehors que j'ai poussé un cri de joie et entamé un pas de danse, comme un joueur de foot qui vient de marquer un but. Deux passantes se seront retournées, elles ont dû penser que j'avais un grain, mais je dois dire que cela m'était parfaitement égal.

3

Ça faisait deux heures que je tournais en rond comme un hamster dans sa cage. Je circulais d'une pièce à l'autre, je m'asseyais et puis je me relevais, je regardais par la fenêtre, j'allais me rasseoir. Je n'arrivais pas à fixer mon attention, j'essayais de penser à ce que le type m'avait dit, à ce qu'il ne m'avait pas dit et que j'aurais dû lui demander, quel métier il faisait, s'il avait une femme, des enfants, ce genre de choses. Bon, peut-être que ce n'était pas très important, après tout ce n'était qu'un travail de commande, cela n'impliquait pas qu'on devienne les meilleurs amis du monde, et de toute façon si je décidais de faire le job, on serait sans doute amenés à se rencontrer plus d'une fois et alors je pourrais lui poser toutes les questions que je voulais.

Je n'arrêtais pas de me repasser dans la tête le texte de l'annonce. Quelque chose me turlupinait, c'étaient les deux mots «discrétion garantie». S'il s'agissait juste de remettre une voiture en état, je ne voyais pas pourquoi la discrétion était nécessaire. Je me suis demandé si par hasard ce n'était pas une voiture volée. Cela ne ressemblait pas au type, pour le peu que je connaissais de lui, mais j'avais appris à me méfier des apparences. Bien sûr, il y avait la photo qu'il m'avait montrée, où l'on voyait son père au volant de la Triumph, et ce qu'il m'avait dit sur sa collection de voitures. Tout cela pouvait être vrai, comme cela pouvait ne pas l'être. Je me suis aussi demandé si le type avait déjà eu d'autres contacts ou si j'étais le premier de la liste. Sauf erreur de ma part, l'annonce datait du jour même. Pour m'en assurer, j'ai repris le journal de la veille, et de fait elle n'y figurait pas. Comme j'avais téléphoné tout de suite et que le type m'avait donné rendez-vous à onze heures, il était peu probable qu'il ait eu le temps de voir d'autres candidats. Il avait eu l'air pressé de conclure, ce qui pouvait vouloir dire soit qu'il était tout à fait décidé et qu'il désirait que ça se règle au plus vite, soit au contraire qu'il n'était pas sûr de son fait, qu'il cherchait à hâter les choses avant de changer d'avis.

Puis j'ai repensé à la discussion qu'on avait eue au café. Et plus j'y repensais, plus je trouvais qu'il y avait des bizarreries. À commencer par le fait qu'à aucun moment, il n'avait essayé de savoir qui j'étais, ce que je faisais dans la vie ou comment je m'appelais. Plus étonnant encore, il n'avait pas exigé de références ni d'états de service, il n'avait pas davantage cherché à tester mes connaissances en mécanique. Il me semble pourtant qu'à sa place, c'est la première chose que j'aurais faite. Je pouvais fort bien être le dernier des charlatans, un de ces rigolos qui se disent capables de tout et du reste, alors qu'ils ne sont que de vulgaires bousilleurs – et Dieu sait que dans ce métier, ce ne sont pas les bousilleurs qui manquent. Au lieu de cela, il avait tenu pour un fait assuré, non seulement que j'étais mécanicien automobile, mais que je connaissais suffisamment les vieilles voitures, et en particulier les modèles sport comme la Triumph TR5, pour être capable de transformer une épave en petit bijou. D'ailleurs, si cette voiture avait autant de prix à ses yeux, s'il était prêt à mettre une somme pareille pour la récupérer, pourquoi ne s'était-il pas adressé à un garage spécialisé dans ce genre de réparations, plutôt que de faire appel à un simple mécano avec tous les risques que ça comporte?

J'ai regardé ma montre. Il était deux heures de l'après-midi. Je serais bien allé faire un tour, histoire de mettre de l'ordre dans mes idées, sauf que la pluie tapait contre les carreaux, et qu'il y avait un vent à décorner les bœufs. Alors je suis resté chez moi à boire du café noir, je suis allé me laver les mains à l'évier, puis j'ai passé l'aspirateur et j'ai fait un peu de rangement. Je suis retombé sur le journal, j'ai été voir à la page des petites annonces, comme si j'avais peur que la mienne ait disparu. Elle était bien là, à la place où je l'avais trouvée, entourée d'un trait au marqueur rouge. Je l'ai encore lue à plusieurs reprises, des fois que j'y trouverais un élément nouveau, quelque chose qui m'aurait échappé, mais je n'ai rien vu que je ne savais déjà. À force, je

pouvais la réciter par cœur, les mots s'étaient vidés de leurs sens et ne formaient plus qu'une suite de sons biscornus. Je suis retourné me laver les mains et la figure, et je me suis observé longuement dans le miroir, avec l'eau qui me dégoulinait le long des joues, j'avais l'impression de voir un étranger, je ne reconnaissais pas mes traits, au point que j'avais du mal à me remettre. Je me suis regardé droit dans les yeux et je me suis adressé à moi-même, qui es-tu, disais-je, réponds-moi, je te parle, peux-tu me dire qui tu es. Mais ma voix sonnait faux, je me suis détourné du miroir et je suis allé me coucher dans le divan.

Tout à coup, j'ai eu une envie terrible de fumer. Ça faisait six semaines que j'avais arrêté, depuis le moment où ma femme s'était tirée avec les gosses. Quand elle était là, j'allais fumer dehors parce qu'elle ne supportait plus l'odeur de la cigarette, en fait je crois que c'est moi qu'elle ne supportait plus, que c'était sa manière à elle de me le dire, et du jour où elle était partie je n'en avais plus touché une, expliquez cela comme vous voudrez. Et voilà maintenant que ça me reprenait, sans doute d'avoir vu le type tout à l'heure. Alors je me suis mis à fouiller dans la maison, à vider les tiroirs et les armoires, et j'ai fini par mettre la main sur un paquet entamé, j'en ai pris une et je l'ai allumée en tremblant, je savais que c'était idiot de me remettre à ces saloperies, mais quand j'ai eu fini la première j'en ai repris une autre, et je n'ai pas arrêté de fumer tout l'après-midi comme un malade.

Je ne sais pas si c'est à cause de cela, mais à partir de là mes pensées ont pris une tournure différente. Je ne comprenais plus très bien pourquoi j'avais demandé à réfléchir avant de donner ma réponse. Un type que je ne connaissais pas, disposant visiblement de ressources importantes, qui plus est un type intelligent et bien de sa personne, pas du tout un individu louche, ce type, donc, me proposait une affaire en or, il m'offrait de travailler sur une voiture magnifique et de me payer grassement pour le faire, et moi au lieu de bondir sur l'occasion avant qu'il la refile à quelqu'un de moins scrupuleux, tout ce que je trouvais à lui répondre, c'est attendez, il faut que je réfléchisse. Tout cela parce qu'il y avait eu cette petite voix à mon oreille, comme une intuition mystérieuse qui me disait de ne rien précipiter. Mais si j'en croyais mon expérience, l'intuition c'est comme le hasard, ça marche une fois sur deux, autant dire que ça ne marche pas.

Cela m'a remis en mémoire un épisode plutôt désagréable de ma vie passée. Il datait de l'époque où je travaillais à mon compte – j'avais ouvert un petit commerce d'accessoires et de pièces détachées pour voitures anciennes. Un jour, je reçois la visite d'un jeune gars, un de mes clients occasionnels, qui dit avoir une proposition géniale à me faire. L'idée lui est venue en regardant à la télé un reportage sur un artiste américain, un genre de décorateur qui construisait des cercueils personnalisés. Des cercueils en carton pour les écolos, des cercueils en forme de traîneau pour les explorateurs, des cercueils avec des chaînes et du cuir pour les adeptes du SM, des cercueils en forme d'avion, de hors-bord, de locomotive ou de n'importe quoi. Il y avait un ancien pilote, ce qu'il voulait c'était le modèle Formule 1, un cercueil peint en rouge vif, avec un volant, des roues, des rétroviseurs, tout pareil que dans une vraie voiture de course, sauf qu'au lieu d'être en carbone celle-ci était en résine synthétique, et que naturellement elle était plus petite que l'originale. Le gars m'assure que cela peut marcher du tonnerre, il me propose qu'on s'associe et qu'on monte une entreprise semblable. Et puisque je suis un fan de vieilles voitures, pourquoi ne pas se spécialiser dans ce domaine? Lui se chargera de la prospection, il a un ami qui peut s'occuper du design, quant à moi je fabriquerai les modèles, et pour les bénéfices on divise à parts égales. Je dis oui, pourquoi pas, ça a l'air intéressant, il faut que j'y réfléchisse – exactement comme avec le type. À force de retourner les choses dans ma tête, il me vient une sorte de pressentiment, l'impression que je vais me faire avoir. Je laisse traîner l'affaire en longueur, à la fin il se découragе et la propose à quelqu'un d'autre. Grâce à son idée, le gars a décroché le jackpot, lui et son associé se sont fait des couilles en or, aujourd'hui leur carnet de commandes est rempli deux ans à l'avance. «Personnalisez votre dernière demeure», c'est leur slogan. Si je n'avais pas écouté mon intuition, si j'avais su saisir la chance qui frappait à ma porte, aujourd'hui je n'aurais plus de souci à me faire pour mon avenir.

En attendant, il était près de quatre heures et j'en étais toujours au même point. Dans une heure je devais téléphoner au type pour lui donner ma réponse, et je ne savais pas du tout ce que j'allais lui dire. En désespoir de cause, j'ai cherché le jeu de tarots mais je ne l'ai pas trouvé, ma femme l'avait sans doute emporté dans ses bagages. Il ne me restait plus qu'à tirer à pile ou face, pile c'est oui, je répare l'épave et je touche l'argent, face c'est non et rien ne change, je continue à tirer le diable par la queue. J'ai pris une pièce de monnaie, je l'ai lancée en l'air, l'ai rattrapée dans une main et l'ai aplatie sur le dos de l'autre. J'ai attendu un moment avant de regarder. C'était pile. J'ai pensé non, ce n'est pas possible, pas comme ça. Alors je l'ai relancée, et de nouveau cela a été pile. Je me suis dit, je recommence, le côté qui sort trois fois a gagné. Face est sorti une fois, puis une fois pile, puis face encore, puis deux fois pile. Le compte y était. Donc la réponse était oui.

Donc je réparais l'épave et je touchais l'argent. Donc – donc tout cela n'avait pas de sens. On ne prend pas des décisions avec une pièce de monnaie, c'est une attitude lâche et stupide. La petite voix est revenue, plus insistante que jamais, qui me conseillait la prudence. Je traînais quelques casseroles derrière moi, je n'avais pas envie de me trimbaler toute une batterie de cuisine. J'avais fait l'objet d'une accusation de recel, après être passé plusieurs fois par le chas de l'aiguille, et cette fois-là encore je m'en étais tiré de justesse. J'avais finalement été acquitté faute de preuves suffisantes, mais j'étais conscient que la chance ne serait pas toujours avec moi, que j'avais intérêt à me tenir à carreau si je voulais éviter de gros emmerdements, quelques années à moisir en taule et un casier qui me suivrait partout comme un petit chien. Donc, pile ou pas pile, cette fois je tenais ma décision. Désolé, camarade, il faudra voir chez la concurrence, la maison ne rend pas ce genre de services.

Juste à ce moment, le téléphone s'est mis à sonner. Il était cinq heures moins le quart à ma montre. Je me suis demandé qui ça pouvait être, je n'attendais pas de coup de fil à cette heure, ni d'ailleurs à aucune autre. J'ai laissé sonner une dizaine de fois, puis j'ai décroché le téléphone et je l'ai approché lentement de mon visage, comme si un serpent allait en sortir et se glisser dans mon oreille.

J'ai reconnu aussitôt la voix du type, avec son timbre caractéristique. Je me suis demandé comment il connaissait mon numéro, j'étais sûr de ne pas le lui avoir donné le matin, pas plus que je ne lui avais dit mon nom, puis je me suis souvenu qu'il utilisait un téléphone portable et que mon numéro devait se trouver en mémoire. Le type a expliqué que comme je ne l'appelais pas, il se permettait de le faire pour voir si j'avais pris une décision. Oui, ai-je répondu, j'ai pris une décision. Et alors? a-t-il demandé. Alors, ça marche, ai-je dit. Très bien, a-t-il fait, je suis content que vous acceptiez. À six heures, à l'endroit indiqué, cela vous convient? Aujourd'hui? ai-je fait, surpris. Là, maintenant, tout de suite? Pourquoi, a-t-il demandé, vous n'êtes pas libre? Vous m'avez dit que votre horaire était assez souple. Ce n'est pas ça, ai-je dit, mais est-ce que c'est si urgent? Ça ne pourrait pas attendre demain? Comme il insistait, j'ai fini par dire que c'était d'accord, je n'avais pas envie de me lancer dans une nouvelle discussion. À tout à l'heure, a-t-il encore dit, et là-dessus il a raccroché.

Je suis resté un moment avec le téléphone en main, puis j'ai raccroché à mon tour et j'ai juré un grand coup. Espèce de crétin, ai-je hurlé, pourquoi tu lui as dit ça? À quoi ça sert de décider une chose si c'est pour faire exactement le contraire? Oui, pourquoi je lui avais dit ça, j'aimerais que quelqu'un me l'explique, parce que moi, à l'heure qu'il est, je ne l'ai toujours pas compris. Aujourd'hui encore, je me dis que pour une fois j'aurais dû faire confiance à mon intuition, que cela m'aurait évité une foule d'ennuis dont je me serais bien passé.

4

L'endroit, je le connaissais vaguement, je n'y avais encore jamais mis les pieds, mais il m'était arrivé quelquefois de le longer en voiture. C'était un endroit vraiment incroyable, une sorte d'île au beau milieu du fleuve, à laquelle on accédait par deux ponts situés à chaque extrémité. Sur le plan que m'avait dessiné le type ça avait l'air simple, mais une fois sur place les choses se compliquaient, c'était beaucoup plus grand qu'on ne pouvait croire, ça formait comme un labyrinthe incompréhensible. On y trouvait des montagnes de sable ou de pierraille, des troncs d'arbres empilés avec des chiffres en couleur, des carcasses de bateaux sur des échafaudages, des hangars flambant neufs et d'autres à demi écroulés. Et là-dedans, une multitude de routes, de darses, de canaux, d'écluses. Certaines parties étaient en activité et d'autres laissées en friche, avec des rails qui ne menaient nulle part, des machines à l'abandon, des étendues de terre caillouteuse, des périmètres délimités par des clôtures et à l'intérieur desquels ne poussaient que des mauvaises herbes, et puis brusquement on débouchait sur une pelouse tirée au cordeau, un immeuble high-tech avec des plantes vertes aux fenêtres. De temps à autre, on apercevait un garde dans sa baraque vitrée, quelques ouvriers en ciré jaune sur des pelleteuses, à part cela il n'y avait plus grand monde dans les parages.

C'était un samedi d'automne, la nuit commençait déjà à tomber, de gros nuages noirs se pressaient dans le ciel. Quand j'étais parti de chez moi la pluie avait cessé, mais il soufflait toujours un vent très fort, j'avais enfilé un gros pull et une veste en cuir, puis j'avais fait un détour par le night shop pour acheter des cigarettes. Par contre j'avais oublié de prendre une lampe de poche, ce qui n'était pas très malin de ma part, parce que presque rien n'était éclairé, sauf par la lune ronde qui apparaissait parfois entre les nuages, si bien que j'arrivais à peine à lire les notes griffonnées par le type. Au début j'ai suivi la route principale, qui traversait l'île sur toute sa longueur, et d'où partaient des allées sur la droite et sur la gauche. La première était la n° 24 et moi je devais prendre la n° 7, celle qui longeait un canal enjambé par un pont, c'est là que le type avait dit qu'il m'attendrait. J'ai donc encore marché un bon bout de temps, lorsque j'ai trouvé l'allée n° 7 je m'y suis engagé, j'ai cherché le canal mais je ne l'ai pas trouvé, j'avais dû faire une erreur quelque part (après il est apparu que j'avais pris la mauvaise allée, j'avais lu 7 alors qu'il fallait lire 1, l'allée n° 1 était tout au bout de l'île, en fait j'étais venu par le chemin le plus long). J'ai quand même continué jusqu'à ce que je tombe sur un grillage, et là impossible d'aller plus loin, de l'autre côté il n'y avait que le fleuve. Une péniche est passée à quelques mètres de moi, on entendait le tac tac tac du moteur, un homme se tenait debout dans la cabine illuminée, à ce moment j'aurais bien voulu être à sa place, abrité du froid et du vent dans le poste de pilotage, à me laisser glisser lentement dans la nuit.

Je l'ai suivie des yeux jusqu'à ce qu'elle disparaisse, alors plutôt que de faire demi-tour, j'ai décidé de longer la clôture, j'ai escaladé un monticule de poussière noire infecte, on aurait dit du charbon très fin mais ce n'en était pas, ça puait le gaz et ça collait aux semelles, je m'enfonçais dedans jusqu'aux chevilles. Puis quand j'ai réussi à m'en extraire, j'ai traversé un endroit envahi par les ronces, au milieu des ronces c'était plein de vieux câbles, de barres à béton, de rouleaux de fils de fer, de pièces de machines rongées par la rouille, je n'arrêtais pas de m'y prendre les pieds et d'accrocher mes vêtements aux épines. Drôle d'endroit pour ranger une voiture, ai-je pesté. Qu'est-ce que ce type avait dans la tête pour me donner rendez-vous dans ce bled pourri? Soudain, je n'ai pas compris ce qui s'est passé, j'ai marché sur un morceau de tôle métallique, la tôle s'est pliée en deux sous mon poids et je me suis retrouvé au fond d'une espèce de fosse remplie d'eau boueuse. Il m'a fallu un moment pour comprendre ce qui m'arrivait, puis quand j'ai eu

retrouvé mes esprits, je me suis mis à crier, ho, ho, il y a quelqu'un? Mais personne n'a répondu, c'est-à-dire que le type n'a pas répondu, à part lui et moi on ne devait pas se bousculer dans le coin, il y avait juste un chien invisible qui s'époumonait quelque part, il poussait des aboiements plaintifs comme s'il allait rendre l'âme. J'ai pensé que le type n'était peut-être pas encore arrivé, ou qu'il était déjà reparti, ou qu'il ne pouvait pas m'entendre, ce qui est sûr c'est que je n'étais pas au bon endroit, j'étais même au plus mauvais endroit possible, le trou devait faire dans les deux mètres de profondeur et je ne voyais pas comment j'allais pouvoir en sortir. Alors je me suis mis à gueuler, crétin, fils de pute, espèce de taré, sans savoir au juste après qui j'en avais, si c'était après lui ou si c'était après moi, ou peut-être l'un et l'autre ensemble, ça n'a rien changé mais ça m'a soulagé un peu. Je me suis dit, bon, là on se calme, tâchons de voir la situation en face, façon de parler évidemment, il faisait noir comme dans un four, les nuages cachaient la lumière de la lune, et pour tout arranger voilà qu'il s'était remis à pleuvoir.

J'ai essayé de grimper en m'accrochant à la paroi, mais c'était impossible, du béton sans aucune aspérité, à chaque fois mes pieds glissaient et je retombais au fond. J'ai entrepris de redresser la tôle, elle pesait un poids énorme, j'arrivais à peine à la soulever, en plus les bords étaient coupants et m'écorchaient les mains, finalement j'ai réussi à la poser en oblique et à sortir de ce maudit trou. Mais ma chute m'avait refroidi, c'était comme un mauvais présage, j'avais bien failli me retrouver pris au piège, à devoir passer la nuit entière dans ce cloaque. À ce moment, j'ai été sur le point de renoncer, de me tirer vite fait et de rentrer chez moi. Puis j'ai repensé à l'argent, à tout ce que je pourrais faire avec, au nouveau départ qu'il me permettrait de prendre. Maintenant que j'avais dit oui au type, je ne pouvais plus me sortir cette idée de la tête, c'était comme si cet argent m'avait déjà appartenu, et qu'en renonçant je devais en quelque sorte le rendre de ma poche. Je me suis remis à marcher devant moi. Ma cheville droite était douloureuse, j'avais dû me faire une entorse en tombant dans le trou. J'ai traversé une sorte de terrain vague en zigzaguant entre les flaques de mazout, il y avait là un tas de vieilleries abandonnées par les gens, des vêtements, des sommiers à ressorts, des sacs en plastique éventrés, un landau perché sur ses grandes roues, et même une cabine téléphonique d'un modèle ancien, plantée comme ça au milieu de nulle part.

J'ai fini par rejoindre l'allée suivante et je l'ai remontée en direction de la route principale. Quand je suis arrivé au bout, j'ai aperçu le canal avec le pont en fer, je me suis approché lentement, je ne voyais toujours pas le type, c'était le bon endroit mais il n'y était pas, j'ai pensé un moment qu'il ne m'avait pas attendu, qu'en ne me voyant pas venir il avait cru que je m'étais défilé, et je me suis dit merde, le saligaud, il aurait quand même pu patienter un peu. J'étais trempé des pieds à la tête, mes vêtements étaient couverts de boue, j'avais la cheville qui m'élançait et les mains entaillées de coupures saignantes, il ne manquait plus qu'une chose, c'est que j'attrape le tétanos. Je me suis assis par terre, le dos appuyé contre la rambarde, j'ai senti le froid me remonter à travers tout le corps, j'étais tellement exténué que je n'avais pas la force de me remettre debout, en plus du tétanos j'allais sûrement me payer une pneumonie, mais je me suis dit qu'au point où j'en étais, de toute façon je ne mourrais pas deux fois. Alors j'ai sorti le paquet de cigarettes de ma poche, j'ai essayé d'en allumer une mais elle était mouillée, de rage j'ai balancé le paquet dans la flotte et j'ai recommencé à m'invectiver, mais qu'est-ce que tu es venu foutre ici, qu'est-ce qui t'a pris de mettre ton nez dans cette histoire, quand cesseras-tu donc de t'embarquer dans des plans foireux?

5

À ce moment-là, j'ai vu de la lumière bouger : c'était le type qui s'amenait avec une lampe torche, peut-être qu'il m'avait entendu gueuler de loin. Il ne marchait pas plus vite qu'il ne faut, et ça m'a mis encore plus en rogne, de le voir s'amener tranquille comme Baptiste, avec ses cheveux et ses vêtements bien secs, à croire que la pluie l'évitait, qu'elle tombait partout sauf là où il se trouvait, comme si un ange gardien tenait un parapluie au-dessus de sa tête. Qu'est-ce qui vous est arrivé? a-t-il dit. Vous vous êtes perdu? Non, ai-je dit, pas du tout, j'avais un peu de temps à tuer, alors j'en ai profité pour visiter le paysage. Charmant endroit, il n'y a pas à dire, surtout le soir. J'ai sorti le journal de ma poche et j'ai essuyé la boue de mes mains, puis j'ai essayé d'ôter celle de mes chaussures, mais ça collait tellement que j'y ai renoncé. Bon, ai-je dit, et maintenant, qu'est-ce qu'on fait? Suivez-moi, a dit le type. On a longé en silence la berge du canal. Il marchait d'un pas rapide, j'avais du mal à le suivre à cause de ma cheville. On a laissé des entrepôts sur notre gauche et on est arrivés au pont que j'avais aperçu. Un escalier en fer menait à une passerelle faite de plaques branlantes, lui se promenait là-dessus comme s'il avait fait ça toute sa vie, tandis que moi je devais m'agripper au garde-fou, j'avançais en tâtant le terrain du bout de la semelle, ces plaques ne me paraissaient pas très solides, je n'avais pas envie de passer à travers, une fois m'avait suffi. Quand il a vu que je ne suivais pas, il a fait demi-tour et m'a éclairé avec sa lampe, on est arrivés de l'autre côté et on a longé un grand bâtiment en planches, et après avoir marché encore un bon moment on est tombés sur une barrière fermée par un cadenas.

De part et d'autre s'élevait un grillage garni de fil barbelé. J'ai cru un instant que le type allait me demander de grimper là-haut, auquel cas je lui aurais répondu qu'il n'en était pas question, que je refusais de faire le zouave à escalader des clôtures. Mais il s'est dirigé vers un endroit qu'il avait dû repérer auparavant, il a tiré sur le dessous du grillage et l'a soulevé pour que je puisse passer, puis il est entré à son tour. On s'est retrouvés sur un vaste espace à découvert, parsemé de flaques d'eau et creusé d'ornières profondes. Au fond se dressait une espèce de rempart, quand on a été plus près, j'ai vu que c'étaient des cubes de métal compressé, empilés sur plusieurs étages et sur presque toute la largeur du terrain. Devant, il y avait des épaves de voitures, des dizaines d'épaves encastrées les unes dans les autres, pareilles à des gros cafards en train de copuler au clair de lune. Et puis des quantités de pneus, de sièges, de portières, de pare-brise, d'enjoliveurs et de pièces détachées de toutes sortes, des monceaux de ferraille destinée au rebut. Plus loin, une grue avec une grosse pince qui pendait d'un câble, plus loin une autre grue, enfin une sorte de grand cylindre surmonté d'une cabine, qui devait être la machine à compacter les carcasses. À droite de l'entrée s'élevait un petit bâtiment construit en blocs de béton et aux fenêtres protégées par des grilles de fer.

Le type s'est mis à farfouiller parmi les sièges, il en a sorti un qu'il a posé sur le sol, puis il en a pris un autre et l'a mis en face du premier, ensuite il est allé chercher trois pneus et les a empilés entre les fauteuils, et puis un pare-brise qu'il a placé sur les pneus. Moi je le regardais faire, je me disais ce n'est pas vrai, ce type est complètement barge, voilà qu'il nous installe un salon au milieu de ce putain de décor, non mais qu'est-ce qu'il s'imagine, qu'on va s'asseoir gentiment et se mettre à faire la causette, à s'échanger nos souvenirs comme deux vieux potes de collège? Il a disparu de nouveau et s'est ramené avec une caissette, des vieux papiers et quelques bûches. Il a fait du petit bois avec la caissette, a roulé les papiers en boule et les a allumés avec son briquet, faisant jaillir aussitôt une grande flamme jaune. Je me demandais à quel jeu on jouait, ça me rappelait l'époque où j'étais chez les scouts, on avait déjà eu droit à la marche d'orientation sans boussole, maintenant c'était parti pour la veillée autour du feu de camp, peut-être aussi qu'il allait prendre sa guitare et nous régaler de quelques airs de circonstance. Au lieu de cela, il a sorti de sa poche une bouteille avec deux gobelets en plastique et les a posés sur le pare-brise, d'une autre poche il a sorti deux enveloppes beiges, une petite et une grande, qu'il a mises à côté de la bouteille, ainsi qu'un paquet de cigarettes. Il faisait tout cela avec des gestes méticuleux, on aurait dit un curé en train d'apprêter son attirail pour la messe. Et je n'étais pas au bout de mes surprises. D'une autre poche encore, il a sorti un revolver et pareil, il l'a posé près des deux enveloppes. J'étais tellement scotché que j'en suis resté la bouche grande ouverte. Devant mon étonnement, il a dit que l'endroit n'était pas sûr, qu'il valait mieux faire preuve de prudence. Je n'étais qu'à moitié convaincu par son explication, à part nous deux je ne voyais vraiment pas qui, à une heure pareille et par un temps pareil, aurait eu l'idée de zoner dans cet endroit, mais j'ai préféré ne pas le contredire.

Quand il a bien eu fini tous ses préparatifs, il a pris place sur un des sièges et m'a invité à faire de même. Je me suis laissé tomber comme une masse. J'étais moulu d'avoir crapahuté dans ce bourbier infâme, j'avais la cheville droite qui enflait à vue d'œil, la paume de ma main gauche était entaillée par une profonde coupure. Le type a dévissé le capuchon de la bouteille, a rempli les gobelets à ras bord et m'en a tendu un. Je l'ai avalé d'une traite malgré que c'était du gin, un alcool que j'ai toujours eu en horreur, ça m'a brûlé le gosier et l'estomac, mais au moins ça m'a réchauffé un peu. Ensuite il m'a proposé une cigarette, une de ses cigarettes brunes et sans filtre, je n'avais plus l'habitude du tabac fort, malheureusement là je n'avais pas le choix, j'ai donc accepté la cigarette qu'il me proposait. Il l'a allumée en l'abritant de sa main et me l'a tendue, puis il s'en est allumé une pour lui, il a tiré un grand coup dessus et a avalé toute la fumée, en renversant la tête en arrière comme je l'avais déjà vu faire au bistrot. À ce moment, j'ai remarqué qu'il ne pleuvait plus, il suffisait que le type se pointe quelque part pour que la pluie s'arrête, et le vent aussi avait brusquement cessé de souffler, les nuages s'étaient rassemblés dans un coin du ciel comme un troupeau frileux, mais ils se tenaient prêts à rappliquer au-dessus de nos têtes à la première alerte.

6

On est restés un moment sans rien dire, à siroter notre gin et à profiter de la chaleur du feu. Au bout de quelques minutes, mon esprit s'est remis à fonctionner de façon à peu près normale, alors seulement j'ai fait la relation entre le décor que j'avais sous les yeux et les raisons pour lesquelles je m'y trouvais. Et cette relation, c'était bien sûr l'épave de la Triumph, qui devait être quelque part au milieu des carcasses. Sauf que cela n'expliquait toujours pas pourquoi le type l'avait amenée ici, plutôt que de la laisser dans son garage ou dans un endroit facile d'accès. J'ai supposé qu'il avait ses raisons et que je n'allais pas tarder à les connaître. Mais lui ne paraissait pas plus pressé que ça, il se contentait de regarder le feu en tirant sur sa cigarette. Au bout de cinq minutes, comme il n'avait toujours pas dit un mot, je me suis décidé à lui poser la question. Excusez-moi, ai-je dit, je n'ai pas encore vu la voiture, cela vous ennuierait qu'on aille y jeter un coup d'œil? Juste pour que je puisse me rendre compte du travail qui m'attend. Le type a laissé passer un moment avant de répondre. Vous allez la voir, a-t-il dit. Mais auparavant, je voudrais vous parler de quelque chose. Quelque chose d'assez délicat. Le type s'est avancé un peu sur son siège et m'a fixé droit

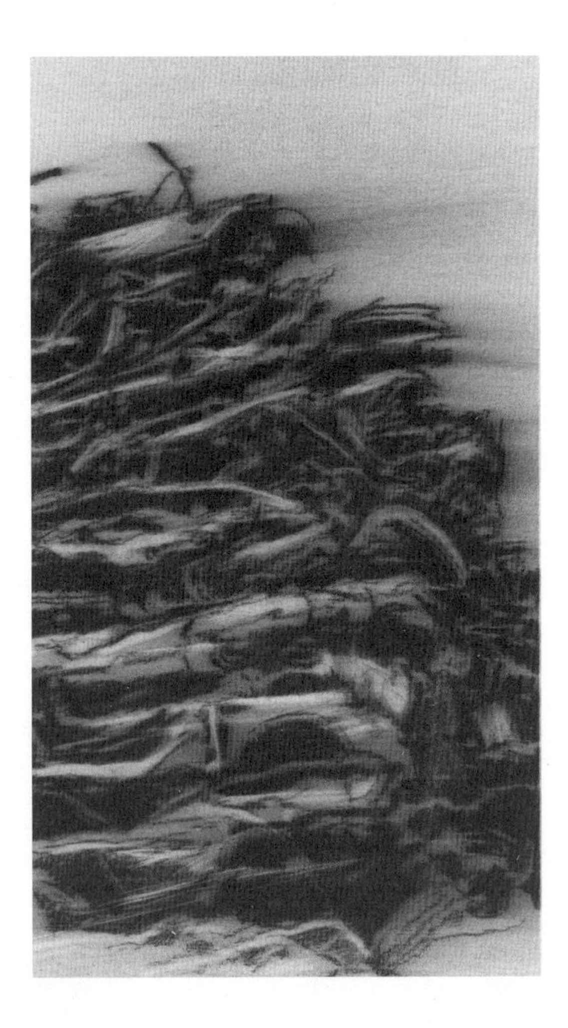

dans les yeux. J'aimerais que vous me rendiez un service. Je veux dire, un autre service. Quel genre de service? ai-je demandé. Le type a jeté son mégot dans le feu d'une pichenette et a croisé ses doigts si fort qu'on voyait les articulations blanchir. À en juger par la tension qu'il y avait sur son visage et dans tout son corps, je sentais qu'il allait me dire une chose que je n'avais pas forcément envie d'entendre. Que vous m'aidiez à en finir, a-t-il répondu dans un souffle, et d'une voix tellement grave que j'ai failli lui demander de répéter. J'attendais la suite, mais elle n'est pas venue. J'ai avalé ma salive plusieurs fois, et j'ai sorti un truc tout à fait débile, le seul qui me passait par l'esprit. En finir avec quoi? ai-je demandé. Bien sûr, je devinais la réponse, j'avais juste dit ça pour gagner du temps. Le type a poussé un soupir. Ça me paraît clair, a-t-il fait. Avec tout. Avec la vie. Avec ma vie.

Il a détourné les yeux. J'ai compris qu'il n'en dirait pas plus. Il avait abattu ses cartes, à présent c'était à mon tour de lui faire connaître ma réponse. Le problème est que je n'en avais aucune. Car pour dire la vérité, je m'attendais à tout sauf à ça. Passé le premier moment de stupeur, ce que j'ai ressenti était de l'irritation et de l'indignation. Je me sentais floué, berné, roulé dans la farine. Depuis le début, je me doutais bien qu'il y avait un lézard, j'ignorais seulement de quelle espèce il était, si c'était un petit lézard inoffensif ou un gros méchant capable de vous avaler tout cru. Maintenant, j'avais la réponse à ma question : c'était un gros, un très gros lézard – beaucoup trop gros pour moi.

Si je comprends bien, ai-je dit au type, cette histoire de voiture démolie, c'était juste une manière de me faire venir ici et de me balancer votre proposition? Et si ça se trouve, cette mystérieuse Triumph n'existe même pas, c'est pour ça que vous ne voulez pas me la montrer? Pas du tout, a-t-il répondu. La Triumph existe bel et bien, vous la verrez tout à l'heure. D'ailleurs, vous l'avez déjà vue, je vous le rappelle. Vous voulez parler de la photo? ai-je dit. Mais une photo ne prouve rien. Qu'est-ce qui me dit que l'homme au volant est bien votre père? Il pourrait s'agir de n'importe qui, du premier zigoto venu. Je vous en prie, a-t-il fait, n'insultez pas sa mémoire. Toutes mes excuses, ai-je dit, ce n'était pas mon intention. Mais plutôt que de gaspiller notre salive, allons la voir maintenant, ainsi je saurai à quoi m'en tenir. Pas avant que vous ayez répondu à ma proposition, a-t-il dit d'un ton qui ne souffrait pas de réplique. Il a pris les deux enveloppes et les a agitées en l'air. Voici les dix mille euros convenus pour la réparation, a-t-il dit en montrant la plus petite. Tenez, ils sont à vous. Il m'a tendu l'enveloppe. Après avoir hésité un instant, je l'ai attrapée et l'ai fourrée dans ma poche. C'était bien la première fois de ma vie qu'on me payait à l'avance, sans même que j'aie pu voir le boulot qu'il y avait à faire. Mais bon, puisqu'il l'avait décidé ainsi, je n'allais tout de même pas laisser passer l'aubaine. Et là, a-t-il continué en désignant l'autre enveloppe, il y en a cent mille de plus, si vous acceptez de faire l'autre travail. Combien? ai-je fait, totalement abasourdi. Cent mille euros, a-t-il répété. En coupures de cinquante. Putain, ai-je pensé, cent mille euros. Heureusement que j'étais assis, sans quoi je serais tombé à la renverse. J'imaginais déjà ce que je pourrais faire avec une somme pareille : payer mes dettes, demander un prêt pour m'acheter une maison, offrir des fringues et des jouets à mes gosses, peut-être même me trouver une Triumph d'occasion pas trop chère. Mais mon euphorie n'a pas duré très longtemps. Car en contrepartie d'un tel pactole, il s'agissait ni plus ni moins que de tuer un homme. Et cela, quel que soit le prix, je n'étais pas du tout prêt à le faire.

Alors? a demandé le type. Puis-je connaître votre réponse? Écoutez-moi bien, ai-je dit. Je ne sais pas pour qui vous me prenez, mais à mon avis vous me confondez avec quelqu'un d'autre. Récapitulons. Vous me contactez pour remettre en état une voiture que vous avez soi-disant détruite. Vous me donnez rendez-vous dans cet endroit impossible, et là vous me demandez de but en blanc de vous supprimer. Mettez-vous un instant à ma place : je ne vous connais ni d'Ève ni d'Adam,

vous vous amenez avec votre proposition, et vous vous attendez à ce que je vous réponde, OK, ça colle, pas de problème, c'est quand vous voulez, comme vous voulez. Il y a juste une chose qui vous échappe, semble-t-il. Ce n'est pas une question d'argent, enfin si, c'est une question d'argent, c'est aussi une question d'argent, cent mille euros ce n'est pas rien, mais d'abord c'est une question de principe. Je ne suis pas ce qu'on appelle un violent. Le pire que j'ai fait c'est talocher ma femme, et encore ça n'est arrivé qu'une seule fois, et cette fois-là je peux vous dire qu'elle ne l'avait pas volé. Je n'ai jamais tué ni même blessé personne, et je n'ai pas l'intention de commencer maintenant. Cela sans parler des conséquences possibles avec la justice. Car il s'agit quand même de tuer quelqu'un, et tuer quelqu'un de sang-froid, jusqu'à preuve du contraire, ça s'appelle un assassinat, et même si c'est à sa demande, ça s'appelle toujours un assassinat. C'est un jeu bien trop dangereux, il y a des risques que je ne suis pas prêt à courir, quand bien même vous me proposeriez un million d'euros.

Si c'est cela qui vous tracasse, a répondu le type, j'ai les moyens de vous rassurer. Il a sorti de sa poche intérieure une autre enveloppe, blanche et de format allongé – je me demandais combien il y avait de poches à son imperméable, et s'il allait continuer à en sortir des objets comme un prestidigitateur. Ceci est une lettre dans laquelle j'explique les raisons de mon geste. Tout y est mis noir sur blanc dans les moindres détails, y compris la manière dont je prévois de faire disparaître mon corps. Et dans le cas très improbable où on viendrait à le retrouver, je l'ai rédigée de telle manière que les soupçons éventuels ne puissent se porter sur quelqu'un d'autre. Voulez-vous que je vous la lise ? Non, ai-je dit, ce n'est pas la peine. Quels que soient vos arguments, ils ne changeront rien à ma décision. Je voudrais juste vous demander une chose. Pardonnez-moi si je suis un peu direct, mais pourquoi vous ne faites pas ça vous-même ? Il me semble que ce serait la solution la plus simple. Vous ne seriez pas obligé de prendre tous ces détours, et en plus vous garderiez vos cent mille euros. Enfin, peut-être pas vous, mais votre femme, ou vos enfants si vous en avez. J'ai essayé, a-t-il répondu. À plusieurs reprises. Mais je n'ai pas eu le cran d'aller jusqu'au bout. À chaque fois, quelque chose m'a retenu au dernier moment. Vous savez, mourir de sa propre main, cela exige du courage, beaucoup de courage. J'envie ceux qui sont capables de le faire. Moi, hélas, je ne le suis pas.

Alors je lui ai demandé pourquoi il s'était adressé à moi pour ce genre d'opération, plutôt que d'avoir recours aux services d'un professionnel. Des mecs qui tuent pour de l'argent ça existe, il suffit de les trouver, ils vous arrangent ça vite fait bien fait, sans poser de questions inutiles, tu me files le pognon je te file un pruneau, et tout le monde en a pour son argent. Il a dit que justement il ne savait pas où les trouver, qu'il n'avait pas l'habitude de fréquenter ce genre de personnes, c'est pour cette raison qu'il avait fait passer l'annonce dans le journal. Je lui ai dit que s'il voulait, je pouvais m'informer et lui donner des noms, même si je ne fréquentais pas non plus ces individus, je savais où trouver les renseignements dont il avait besoin. Quand je lui ai dit ça, il a eu une moue de dépit. L'idée de confier sa vie, ou plutôt sa mort, à un professionnel, un mec qui vous dérouille sans état d'âme, cette idée n'avait pas l'air de lui plaire. Il semblait tenir à ce que ça se fasse avec moi, et j'ai pensé que peut-être ce qu'il recherchait, c'était précisément quelqu'un avec des états d'âme, quelqu'un qui lui ferait son affaire en y mettant les formes plutôt qu'un tueur froid et sans scrupule. Le seul problème, c'est qu'en s'adressant à moi, il était tombé sur la mauvaise personne.

Le type s'est allumé une autre cigarette. Il a avalé la fumée sans la rejeter, sauf un mince filet qui est ressorti par les narines. Il avait les gestes machinaux du fumeur, le bout de ses doigts était bruni par la nicotine, les cernes sous ses yeux paraissaient encore plus sombres qu'au café. L'idée m'est venue qu'il était peut-être malade, peut-être qu'il avait un problème au cœur, quelque chose de tellement grave que c'était incurable, à moins de se faire rafistoler la tuyauterie, et que cela le type n'y tenait pas parce qu'il avait peur de passer sur le billard, à sa place je dois avouer que moi non plus cette perspective ne m'aurait pas enchanté. Ou alors peut-être qu'il avait un cancer des poumons, une de ces saloperies qui vous bouffent par petits morceaux, et que c'était pour cette raison-là qu'il voulait mourir, pour s'éviter des souffrances inutiles. D'un autre côté, ce qui ne collait pas avec mon explication, c'est que même si le type fumait comme un Turc, je ne l'avais pas encore entendu tousser jusqu'ici. Et à voir la façon dont il gambadait quand on avait franchi la passerelle, il n'avait pas l'air en plus mauvaise condition physique que moi.

À cet instant, le vent a recommencé à souffler par bourrasques, et il s'est remis à tomber une petite pluie fine et froide. Comme le type restait sans rien dire, à contempler le feu et à tirer sur sa clope, j'ai pensé que le moment était sans doute venu de prendre congé. Mais à peine avais-je posé le pied sur le sol que j'ai senti une douleur me vriller la cheville droite. J'ai baissé ma chaussette pour l'examiner : elle avait presque doublé de volume, elle avait pris une teinte violacée, ce n'était vraiment pas très joli à voir. Ce qui m'embêtait le plus, c'est qu'avec le pied dans un état pareil, je me demandais comment j'allais faire pour rentrer chez moi. Bien entendu, je n'étais pas obligé de suivre le même parcours qu'en venant, le type pouvait me dire le chemin le plus direct pour sortir de ce dédale. Mais à supposer qu'il veuille bien me l'indiquer, et à supposer que j'arrive à me sortir d'ici, deux choses qui ne me paraissaient pas du tout assurées, il me resterait encore cinq bons kilomètres avant de rejoindre mon domicile. À part aller à pied, qu'y avait-il comme alternative? Le bus? Inutile d'y compter, je n'avais vu aucun arrêt en venant, tous les gens qui travaillaient ici devaient avoir leur voiture. Le taxi? Outre que je n'avais plus de portable (le mien était mort et pour le peu qu'il me servait, je ne l'avais jamais remplacé), je me voyais mal expliquer au chauffeur comment arriver jusqu'à ce trou perdu. Restait un dernier espoir, encore plus mince que les précédents : que le type accepte de me reconduire chez moi. Je n'avais pas aperçu sa voiture, il avait dû la garer quelque part dans le coin, mais j'étais sûr que lui au moins n'était pas venu à pied, il suffisait de voir l'état impeccable de ses habits et de ses chaussures. Au bout d'une minute, je me suis décidé à lui poser la question, après tout je ne risquais qu'une chose, c'était qu'il m'envoie balader, dans tous les sens du mot.

Écoutez, ai-je dit d'un ton implorant, je me sens mal, je suis trempé de partout, j'ai le pied en compote, je suis en train d'attraper la crève. Est-ce que cela vous ennuierait de me reconduire chez moi, et qu'on reporte la discussion à un autre jour? Un autre jour, a-t-il répété, quel autre jour? Qu'y aura-t-il de plus un autre jour? Ce que nous avons à faire, c'est maintenant ou jamais. Donc, ai-je demandé pour la forme, votre réponse est non? C'est non, a-t-il répondu. Je vous remercie, ai-je dit, trop aimable à vous. Il s'est contenté de glousser et il a continué à tirer sur sa cigarette. De découragement, je me suis laissé tomber dans le fauteuil, qui a émis un couinement de ressorts rouillés. J'étais coincé dans cet endroit merdique, incapable de m'en échapper par mes propres moyens, soumis au bon vouloir d'un désespéré aux réactions imprévisibles. Il m'avait tendu un appât, et moi comme le dernier des imbéciles, je m'étais empressé de mordre à l'hameçon. Je ne savais pas à qui j'en voulais le plus, à lui de m'avoir piégé ou à moi de m'être laissé piéger. De toute façon, quelle que soit la réponse, ça ne changeait rien à l'affaire. Maintenant, qu'est-ce qui allait se passer? Combien de temps allais-je devoir rester ici? Comment arriverais-je à sortir de ce traquenard? Je veux dire, à en sortir sain et sauf? Malheureusement, je n'avais la réponse à aucune de ces questions.

J'ai attrapé la bouteille de gin et j'ai rempli mon gobelet. Le mieux que j'avais à faire, c'était peut-être de me bourrer la gueule, de me foutre une telle cuite que le type soit obligé de m'évacuer. Mais pour cela, il aurait fallu plus qu'une malheureuse bouteille, qui en outre était déjà à moitié vide. Comme il ne disait plus rien, j'ai pensé qu'il fallait que je l'amène à parler de lui, en espérant que ça me fasse rentrer dans ses bonnes grâces et qu'il veuille bien reconsidérer sa position. Je lui ai demandé ce qu'il faisait dans la vie. Et là je vous le donne en mille, et même en cent mille, vous savez ce qu'il faisait le type? On m'aurait posé la question, j'aurais dit prof, ou prêtre, ou bien psy, quelque chose dans ce goût-là. Eh bien, pas du tout : le type, il était dans les voitures. Enfin, il n'était pas vraiment dedans, il n'y avait qu'à regarder ses mains, des mains soignées et blanches, pas des mains à rechaper un pneu ou à changer un filtre à huile, plutôt à remplir de la paperasse en tapant sur un clavier d'ordinateur. Non, le type, ce qu'il faisait, c'était expert automobile. Quand il m'a sorti ça, j'ai d'abord eu un moment d'hésitation, parce que ça ne lui ressemblait pas tellement. Puis j'ai pensé à l'endroit où on se trouvait, à la petite annonce qu'il avait mise dans le journal, et je me suis dit que tout ça se tenait assez bien. Dans un sens j'étais rassuré, lui et moi on était dans la même branche, bien que pas vraiment au même niveau, entre connaisseurs de mécanique il devait être plus facile de s'entendre. Mais dans un autre sens, cette nouvelle ne me disait rien qui vaille, peut-être parce qu'elle me rappelait des souvenirs désagréables, des souvenirs de la dernière fois où j'avais bossé pour un garage et que je n'avais pas précisément envie de me remettre en mémoire.

J'ai voulu savoir si le type était employé par une compagnie d'assurances. Il a ouvert la bouche pour me répondre, mais il n'a pas eu le temps de le faire, parce qu'il y a eu un bruit derrière nous, comme une portière qui se détache ou quelque chose. Ça avait l'air de provenir du tas de voitures qui n'étaient pas encore désossées. Le type s'est levé d'un bond en allumant sa lampe de poche. Il avait l'air affolé, il a dit, il y a quelqu'un, je lui ai dit non, pas de panique, c'est juste des rats, ça doit grouiller de rats là-dedans. Ne vous en faites pas, ils ne risquent pas de nous bouffer, ils sont trop occupés avec la mousse des sièges et les câbles électriques, et puis de toute façon le rat craint l'homme, si vous ne le cherchez pas, ce n'est pas lui qui vous cherchera. Le type n'avait pas l'air très convaincu, il a continué à promener le faisceau de sa lampe, et on a en vu effectivement quelques-uns. Alors seulement il est allé se rasseoir. Excusez-moi, a-t-il dit. Ça ne fait rien, ai-je répondu, vous êtes un peu à cran, c'est normal, à votre place je le serais aussi.

7

De quoi parlions-nous? a dit le type. Je vous demandais si vous étiez dans une compagnie d'assurances, ai-je dit. Il m'a répondu que non, qu'il bossait à son compte, expert indépendant. Puis, sans autre transition, il s'est mis à me parler de son père. Son père était ingénieur, a-t-il expliqué, ingénieur en mécanique et en balistique. Et pas n'importe quel ingénieur : dans sa partie, c'était une sommité, un spécialiste de première bourre. Il avait mis au point de nouvelles équations, des modèles mathématiques pour les calculs d'impact, il était aussi l'un de ceux qui avaient développé l'ABS. Il enseignait dans une grande école, avait reçu une flopée de prix prestigieux, était docteur honoris causa de plusieurs universités, et ainsi de suite. Tout ce que je sais, a dit le type, c'est lui qui me l'a appris. Je n'ai pas eu à me forcer, je suis né avec le virus dans le corps. Et pas seulement celui de la mécanique. Mon père était également un homme de culture, un de ces humanistes à l'ancienne mode comme il n'en existe plus aujourd'hui. Il était capable de s'intéresser au degré d'inclinaison d'un siège ou à l'analyse chimique d'un millimètre carré de peinture, mais aussi de lire dans le texte les présocratiques grecs, les œuvres de Lucrèce ou celles des stoïciens, Sénèque, Épictète,

Marc Aurèle. Il a lui-même écrit des choses à ce propos, des plaquettes où il faisait des commentaires sur ses auteurs favoris, montrait en quoi ils pouvaient encore intéresser notre époque matérialiste. Ce n'étaient sans doute pas de grands livres, d'ailleurs il n'avait aucune prétention philosophique, il se considérait avant tout comme un pédagogue. Il ne cherchait pas non plus à intéresser le monde de l'édition, il se contentait de publier ses livres à compte d'auteur et de les distribuer à ses amis, à sa famille, à ses collègues. Et moi, tout naturellement, j'ai marché sur ses traces. À cette différence près que pour lui, ce qui comptait, c'était la mécanique, les livres venaient en second lieu, c'était un peu comme une récréation, le repos du guerrier en quelque sorte. Tandis que moi c'était le contraire, les livres étaient vraiment ma passion, le but secret de toute mon existence. Avant de me lancer dans l'expertise automobile, j'ai fait des études de philosophie, j'avais l'ambition de devenir philosophe, comme d'autres d'escalader l'Everest ou d'aider les pauvres des bidonvilles.

Le type a marqué une pause. Il a allumé une autre cigarette à la précédente, après avoir tapoté plusieurs fois le bout contre le paquet, un de ces gestes dont je commençais à avoir l'habitude. Le type n'arrêtait pas de fumer, il devait en être facilement à deux paquets par jour. Mais bon, s'il avait décidé d'en finir avec la vie, et si en plus ça ne le faisait même pas tousser, il n'y avait pas de raison qu'il se refuse ce plaisir. Pendant qu'il parlait, je l'avais écouté dans un silence religieux. Ça me faisait tout drôle qu'il me cause de philosophie, qu'il me cite ces noms que je n'avais jamais entendus. D'une certaine façon, je me sentais flatté qu'il me parle ainsi, ça signifiait qu'il me croyait capable de le comprendre, même si je n'étais pas un intellectuel comme lui ou comme son père. Alors je lui ai dit, tu sais ce que je pense, puis je me suis repris, pardon, vous savez ce que je pense, et lui il m'a dit, tu peux me tutoyer, ne faisons pas de salamalecs, j'ai répondu qu'en effet ce serait plus simple. Eh bien ce que je pense, c'est que la mécanique, c'est un peu comme ta femme, et la philosophie c'est ta maîtresse, tu vis avec la première mais tu couches avec la seconde. Je dois dire que je n'étais pas mécontent de ma formule. Un sourire est passé sur son visage, première fois que je le voyais se dérider, même si c'était encore difficile à venir, un peu comme un pansement qu'on arrache. Oui, a-t-il dit, il y a de cela. Je n'y avais jamais pensé, mais c'est une façon de voir les choses. Il a réfléchi, puis il a ajouté, c'est cela, et en même temps, c'est tout le contraire. Comment, le contraire? ai-je fait. Ne me dis pas que tu vis avec ta maîtresse et que tu couches avec ta femme? Comprenez, j'y tenais à mon idée, pas si souvent qu'il m'arrive d'en avoir une. Il a souri de nouveau, un peu plus que la première fois, s'il continuait à se dégeler à cette allure, on allait finir par bien s'amuser tous les deux.

Il s'est penché vers moi, les coudes posés sur les genoux, les mains jointes à hauteur de son visage. Non, bien sûr, a-t-il dit. Il faut que je t'explique comment ça s'est passé. Après la fin de mes études, j'ai décidé de m'installer comme expert automobile. Le jour où je l'ai annoncé à mon père, il m'a écouté d'un air impassible et n'a rien répondu. Il ne m'a ni découragé ni encouragé, il ne m'a pas dit, réfléchis à ce que tu fais, est-ce que tu ne vas pas le regretter plus tard, ne penses-tu pas que ta voie est plutôt la philosophie, enfin le genre de conseils qu'un père peut donner à son fils. Je revois encore la scène. Ça se passait dans son bureau, il était assis dans son fauteuil en cuir, silencieux et imposant comme une statue, sans un trait de son visage qui bougeait. Il tenait à la main un coupe-papier en argent qu'il faisait passer entre ses doigts, et lorsque j'ai eu fini de parler et que je me suis dirigé vers la porte, j'ai cru un moment qu'il allait me le planter dans le dos. Par la suite, le sujet n'a plus jamais été abordé entre nous. Jamais il n'a cherché à savoir si j'étais satisfait de ma décision, ni comment marchaient mes affaires, ni même où se trouvait mon lieu de travail. Et jamais, de mon côté, je n'ai su ce qu'il en pensait. Sans doute aurait-il voulu que je me consacre à la philosophie, ce qui aurait eu pour lui deux avantages : d'une part je réalisais ses propres aspirations, de l'autre je venais pas piétiner ses plates-bandes. Au lieu de cela, je l'avais doublement déçu, en faisant de l'expertise automobile mon métier, et en reléguant mes ambitions philosophiques au second rang. Maintenant que j'y repense, je me dis que c'est peut-être mieux ainsi, que s'il m'avait fait connaître son opinion, dans un sens ou dans l'autre, mon choix serait devenu le sien, s'il m'avait dit tu as raison, j'aurais fait ce qu'il disait, et s'il m'avait dit tu as tort, j'aurais fait le contraire de ce qu'il disait, et dans tous les cas ma décision aurait cessé de m'appartenir.

Tu sais, ai-je dit, les vieux ils sont tous pareils. Qu'ils soient bourgeois ou prolos, il vaut mieux ne pas trop en attendre, parce que dans le fond ils n'ont rien de bien utile à nous dire. Le type a hoché la tête en signe d'approbation, mais j'étais sûr qu'il n'avait pas entendu ce que je disais. Il avait pris un canif dans sa poche et se curait soigneusement les ongles. Le mien, ai-je continué, dans un autre genre, ce n'était pas un tendre non plus. Il était bourré tous les jours que le bon Dieu fait, les jours d'usine il était bourré à cause de l'usine, et les jours de congé il était bourré parce qu'il n'avait rien d'autre à faire, alors il passait sa mauvaise humeur sur moi et il se mettait à me calotter, mais ce n'est pas ça qui m'a fait entrer la sagesse dans le corps. Les pires moments, c'est quand je lui ramenais mon carnet, d'abord il le regardait sans piper mot, il faisait aller sa tête en avant et en arrière, et une fois qu'il avait bien tout regardé, surtout les notes en rouge, il se levait de sa chaise, ôtait sa ceinture de pantalon et me flanquait une raclée à ne plus pouvoir m'asseoir pendant une semaine. Pourtant, je n'étais pas ce qu'on appelle un cancre, je ne chahutais pas les profs, je me tenais plutôt tranquille au fond de la classe, à roupiller sur mon banc ou à dessiner des voitures. Il y a juste que l'école, je n'en avais rien à caler, je m'y ennuyais à périr, d'ailleurs tout ce que j'ai appris, ce qui n'est pas grand-chose, je te l'accorde, je l'ai appris par moi-même, une fois que j'ai été sorti de là. Pour le carnet, j'avais trouvé l'astuce, je ne le montrais plus à mon père, je me contentais de le signer à sa place, et les mots d'excuse aussi je les faisais à sa place, à force de m'exercer j'avais fini par imiter parfaitement son écriture, et quand des fois il s'étonnait de ne plus voir mes notes, je lui expliquais froidement comme quoi le système avait changé, et que maintenant on ne rendait plus le carnet qu'à la fin de l'année scolaire, et lui il se contentait de grommeler en disant qu'est-ce que c'est que cette école, comme si je l'avais choisie moi-même, tu parles. Évidemment, à la fin de l'année, il fallait bien que je lui montre mes notes, et là il découvrait d'un coup l'étendue du désastre, alors je ne te raconte pas la dérouillée que je me prenais. Ce qui ne l'empêchait pas cinq minutes plus tard de me dire, tiens j'irais bien faire un petit bowling, t'as pas envie de venir avec moi? Et on s'en allait gentiment, comme s'il ne s'était rien passé, disputer nos trois ou quatre parties. Il était d'une mauvaise foi crasse, quand je réussissais un strike, il disait que ça ne comptait pas, il prétendait que j'avais triché, que j'avais mordu la ligne, et il annulait le coup, par contre quand lui il ratait, ce qui arrivait au moins une fois sur deux, parce qu'il était tellement noir qu'il tenait à peine sur ses jambes, et comme en plus il voyait les quilles en double ça ne facilitait pas la manœuvre, il disait que c'était la machine qui déconnait, qui lui retirait ses points pour me les mettre à moi, et il s'emportait contre toute cette électronique de merde. Je crois qu'en fait il n'a jamais bien réussi à piger les règles, alors je le laissais gagner pour qu'il me fiche la paix, j'envoyais les boules exprès dans la rigole, et à la fin il me disait tout joyeux, en me donnant des petits coups dans les côtes, pas encore aujourd'hui que tu le battras l'ancêtre, hein, fils de pute. Et sur ces bonnes paroles, il nous payait une tournée à tous les deux, et aussi aux gens des pistes à côté, il était comme ça mon père.

Il est mort? a demandé le type après un moment. Ben non, ai-je dit, pourquoi tu me demandes ça? Parce que tu parles de lui au passé, a-t-il dit. Normal, ai-je répondu, ce que je te dis là, ça remonte à des lustres. Remarque, c'est tout comme, avec ce qu'il fume et ce qu'il picole, il finira bien un jour par casser sa pipe, c'est même étonnant qu'il soit toujours de ce monde. Je dis ça, mais je n'en sais rien, vu que je ne le vois jamais. Et toi, ton père, comment est-ce qu'il est mort? D'une rupture d'anévrisme, a dit le type. Il lisait le journal dans la cuisine pendant que ma mère préparait le repas, elle a entendu comme un gémissement, elle a vu tout son corps qui se raidissait, puis il s'est tassé sur lui-même et n'a plus bougé. Foudroyé comme un grand arbre. Il n'avait jamais fumé, jamais bu une goutte d'alcool de sa vie. Il avait des tas de projets, je ne sais pas s'il pensait à la mort, en tout cas il n'en parlait pas, comme s'il n'était pas concerné, à mon avis il devait se croire éternel. La mort, c'était bon pour les autres. Quand il apprenait le décès d'un collègue ou d'un ami, sa première réaction était une sorte d'agacement, comme devant un relâchement coupable, une faute de goût ou un manque de savoir-vivre.

Il a sorti une photo de son portefeuille et me l'a tendue. La dernière que j'ai de mon père, a-t-il dit. Prise environ six mois avant sa mort. Sur la photo on voyait un homme plutôt balèze, avec un cou de taureau, des cheveux gris coupés en brosse et des lunettes à fine monture d'acier. Il était assis à sa table de travail et regardait droit vers l'objectif, l'air de dire c'est bientôt fini, tu la prends ou tu ne la prends pas ta photo, j'ai autre chose à faire que de poser pour la postérité. L'homme que j'avais sous les yeux correspondait assez bien à l'image que je m'en faisais, d'après ce que le type venait de me dire de lui. Par contre, il y avait une chose surprenante, c'est qu'il ne ressemblait pas du tout à l'homme de l'autre photo, celle qu'il m'avait montrée au café et où son père était au volant de la Triumph. Évidemment, sur celle que je tenais en main, il avait quelques dizaines d'années en plus, et en quelques dizaines d'années on peut changer pas mal. N'empêche, j'avais beau l'examiner, la ressemblance n'était pas criante, au point que j'avais de la peine à croire qu'il s'agissait bien de la même personne. Si tu veux mon avis, ai-je dit en rendant la photo au type, tu ne lui ressembles pas tellement. Moi, c'est le contraire. Un jour, j'ai vu une photo de mon vieux, il devait avoir à peu près l'âge que j'ai maintenant, je te jure que ça m'a fichu un sacré coup. À part les habits et la coiffure, j'ai vraiment cru que c'était moi sur l'image. Alors quand je l'ai en face moi pour de vrai, j'ai l'impression de me voir avec trente ans de plus, et ça me file un tel bourdon que j'aime mieux ne pas y aller trop souvent.

Le type a rempli les deux gobelets, puis a levé le sien en disant : à nos pères. À nos pères, ai-je répondu, on peut dire qu'ils nous auront bien fait trinquer. C'est le mot qui convient, a-t-il approuvé en souriant. Pendant qu'on buvait notre gin, je repensais à ce qu'il m'avait raconté. Je me disais, voilà un bonhomme, à quarante-cinq ans et quelque, il se trimbalait toujours son père, bien au chaud contre son cœur. Ce père qui l'en avait fait baver, qui n'avait pas eu une parole pour lui, qui s'en souciait comme d'une guigne, il continuait à le transporter avec lui partout où il allait. C'était comme un monument, ou plutôt une montagne, et cette montagne il n'arrivait pas à passer de l'autre côté. Il n'en sortait pas de son père, il se tuait à le porter sur son dos, à porter la montagne sur son dos, et une montagne ça pèse lourd, tout le monde sait ça. Tout le monde, sauf lui. J'avais envie de lui dire, écoute vieux, il serait quand même temps que tu sortes de ton père, tu es bien sorti du ventre de ta mère, pourquoi tu ne sortirais pas de la tête de ton père, peut-être qu'alors tu pourrais commencer à te servir de la tienne. Et en même temps je pensais, à quoi bon lui en parler, tout ça c'est psychologie et compagnie, et la psychologie n'a jamais guéri personne, ça sert juste à emmerder les rats, or nous que je sache on n'est pas des rats.

8

Pendant qu'on méditait sur nos pères respectifs, les bûches se sont effondrées d'un coup et se sont éparpillées avec un grésillement. Le type a dit, je vais aller prendre du bois. Attends-moi et ne bouge pas d'ici. Pas de danger, ai-je répondu. Tout en disant cela, je lorgnais le revolver posé sur la table. J'espérais que le type allait oublier son existence, mais au moment où il est passé à sa hauteur, il s'en est emparé. La confiance règne, ai-je crié pendant qu'il s'éloignait, mais je ne crois pas qu'il m'ait entendu. Je l'ai vu disparaître derrière la baraque, c'était sans doute là qu'il trouvait tout son bois sec. Je me suis levé et j'ai clopiné jusqu'au mur de ferraille. Je l'ai contourné, derrière il y avait encore un tas d'épaves, la plupart rouillées et abandonnées là depuis longtemps, certaines avec des jeunes bouleaux qui poussaient à l'intérieur. Par contre, pas de Triumph TR5 blanche. Cette fois, j'avais fait le tour de la casse, je ne voyais pas d'autre endroit où elle aurait pu se trouver. Alors que je longeais l'empilement de cubes, l'évidence m'a tout à coup sauté au visage. Le type m'avait raconté des bobards. La Triumph n'existait pas, elle n'avait jamais existé, c'était juste un prétexte pour m'attirer ici. Ça expliquait pourquoi l'homme au volant ne ressemblait pas au portrait récent de son père. Parce que l'homme au volant n'était tout simplement pas son père. Parce que c'était un quidam dont il s'était procuré la photo Dieu sait où. Et moi, avec mon indécrottable naïveté, j'étais tombé tête baissée dans le panneau.

Je suis retourné m'asseoir près du feu, bien décidé à lui réclamer des explications. J'enrageais de m'être fait avoir comme un premier communiant. Le type s'est amené avec une brassée de bois sec qu'il a jetée sur les braises rougeoyantes. Pourquoi tu m'as raconté des salades? lui ai-je demandé. De quoi parles-tu? a-t-il dit. De la Triumph, ai-je dit. Je suis sûr qu'elle n'existe pas, que c'était juste une manière de m'appâter. Tu te trompes, a-t-il répondu, je te jure qu'elle existe. Mais alors, me suis-je emporté, qu'est-ce qu'on attend pour aller la voir? Il n'y a rien qui presse, a-t-il dit, tu la verras bientôt, quand nous aurons fini de discuter. Discuter de quoi? ai-je demandé. Tu ne crois pas qu'on a fait le tour de la question? À ce moment, il s'est retourné et m'a regardé en plissant les paupières. Je ne crois pas, non, a-t-il dit. Le plus intéressant reste à venir. Il est allé s'asseoir, a sorti le revolver de sa poche et l'a reposé sur la table.

Le plus intéressant reste à venir, me répétais-je. Je ne voyais pas du tout ce qu'il voulait dire par là. Je commençais à en avoir assez de ses allusions, de ses cachotteries et de ses airs mystérieux. Depuis qu'on était ici, il ne cessait pas de louvoyer, de retarder le moment d'en arriver au fait. Et puis il y avait une chose que je ne comprenais toujours pas, c'est pourquoi il avait décidé d'en finir avec la vie. Comment est-ce qu'un type qui a du boulot, qui n'a pas de problème d'argent, qui apparemment n'a pas non plus de problème de santé, qui est encore jeune et plutôt beau mec (c'est vrai, le type avait de l'allure, il devait plaire aux femmes, on m'aurait dit tu prends sa place et il prend la tienne, sûr que j'aurais accepté tout de suite), comment est-ce qu'un type comme ça peut vouloir en finir avec la vie? Je ne voyais guère qu'une explication possible. Une histoire sentimentale, une relation qui avait mal tourné, sa femme qui l'avait quitté et était partie avec un autre – ce qui nous aurait au moins fait un point commun.

Tu vas peut-être me trouver curieux, ai-je dit, mais est-ce que tu as un problème avec les femmes? Tu veux dire, est-ce que je suis pédé? a-t-il répondu. Non, rassure-toi, je ne suis pas pédé, du moins pas que je sache. Et je n'ai pas non plus de problème avec les femmes. J'ai une compagne, elle s'appelle Corinne, elle est kinésithérapeute. On se voit de temps à autre, tantôt chez elle, tantôt chez moi, dans l'ensemble ça se passe plutôt bien entre nous, même si ce n'est pas le grand amour. Ça je comprends, ai-je approuvé, le grand amour ça n'existe pas, c'est juste bon dans les livres. Pourquoi, a-t-il demandé, tu as eu des expériences malheureuses? Pas des expériences, ai-je dit, une seule, et ça m'a suffi amplement. Raconte, a dit le type. Oh, ai-je fait, c'est assez ordinaire comme histoire. Ça remonte à l'époque où j'avais un commerce d'accessoires pour vieilles voitures. Au début ça ne marchait pas trop mal, je m'étais fait une petite réputation, les gars venaient chez moi et se refilaient l'adresse entre eux, parce que j'étais le mec sympa avec qui on peut s'arranger, tu me verses un acompte et tu me paies le reste quand tu pourras, et puis aussi parce que je leur dégotais des trucs à des prix imbattables, je préfère ne pas te dire comment, mais je suppose que tu le devines. J'avais mes petits réseaux, les gars ne posaient pas de questions, ils étaient devenus des copains, j'allais à leurs rassemblements, j'étais jury dans les concours, ça me faisait un peu de réclame. Parfois j'y emmenais mes gosses, ils adoraient ça les gosses, mais ma femme elle ça la rendait folle, chaque fois que je partais le soir elle me faisait la tronche, elle disait comme ça c'est moi ou les bagnoles, tu as intérêt à choisir sinon je te plante là. Et moi je disais, oui chérie, je vais rester avec toi chérie, on ira faire les courses ensemble, on préparera la bouffe ensemble, le soir on regardera la télévision ensemble. Je disais ça mais je continuais à y aller, de toute façon elle m'aurait quitté tôt ou tard, elle cherchait juste un prétexte pour se tirer avec son jules, et comme l'argent rentrait, et que je ne la cognais pas, et que je m'entendais bien avec les enfants, et que question baise elle n'avait pas à se plaindre, il fallait bien qu'elle trouve autre chose. À partir de là, ça a commencé à aller de mal en pis, entre nous c'est devenu la guerre de tranchées, ça commençait le matin au réveil et ça durait jusqu'à l'extinction des feux. Les derniers temps on ne pouvait plus se blairer du tout, c'était au point que se trouver dans la même pièce, même ça c'était devenu insupportable, il fallait qu'un de nous deux s'en aille, et presque toujours c'était moi. On ne faisait plus rien ensemble, on prenait nos repas séparément, on avait nos affaires chacun de notre côté, inutile de dire qu'on faisait aussi chambre à part. Enfin, façon de parler, je dormais dans le divan du salon. Au moins j'avais de la place, parce que tu sais quoi? On était allés un jour chez Ikea, acheter le plus grand qu'on avait trouvé, un divan gigantesque pour cinq personnes, ainsi quand on regardait la télé le soir, on ne risquait pas de se toucher, on était à trois mètres l'un de l'autre. La vie, quand même, qu'est-ce que c'est con, quand on y réfléchit un peu. Tout ce temps perdu à se démolir, à s'arracher la figure pour des bêtises. Pourtant on a essayé de se rabibocher, parce qu'on pensait que c'était mieux pour les gosses, on est même allés trouver une espèce de psy, un

Octobre 2012
à Janvier 2013

Prix des lecteurs
Rue des Livres

www.festival-ruedeslivres.org

Catégorie
Roman

Les livres de la sélection seront disponibles dans les bibliothèques municipales de Rennes Métropole et les librairies partenaires.

festivalruedeslivres@orange.fr

Les 6 ouvrages sélectionnés

Cochez uniquement votre livre préféré.

☐ « Y revenir » (Stock) Dominique Ané

☐ « Deux dans Berlin » (le Masque) Richard Birkefeld et Göran Hachmeister

☐ « Le clan des poissards » (La Part Commune) Jeff Sourdin

☐ « Chronique de la dérive douce » (Grasset) Dany Laferrière

☐ « Une année à Venise » (Héloïse D'Ormesson) Lauren Elkin

☐ « Viviane Elisabeth Fauville » (Minuit) Julia Deck

3 bons d'achats de livres d'une valeur de 30€ chacun seront offerts aux participants par tirage au sort

Nom..

Prénom..

Adresse...

....

Code Postal..................................

Téléphone.....................................

Mail..

Bonne lecture !

Plus d'informations sur le site www.festival-ruedeslivres.org – rubrique Prix des Lecteurs spécialiste des couples en perdition, mais tout ce qu'on a réussi à faire c'est s'écharper devant lui, à chaque séance c'était le grand déballage, le type ne savait plus à quel saint se vouer, il a fini par jeter l'éponge en disant qu'il ne pouvait rien pour nous, et quand on est sortis de là c'était encore pire qu'avant. Au bout du compte, ma femme est partie avec le mari de la voisine, un grand escogriffe avec des poils partout et des allures de brute. Un teigneux, un mec jaloux comme un tigre, il la cogne pour un oui pour un non, mais avec lui elle n'ose pas moufter. En partant, elle a pris les gosses dans ses valises, si bien que je les vois la semaine des quatre jeudis, et encore si ça ne tombe pas un jour férié. Mais bon ça, c'est une autre histoire, je n'ai pas trop envie de m'étendre là-dessus.

Le type s'est allumé une cigarette, il a froissé l'emballage et l'a jeté dans le feu, depuis qu'on était là il en avait grillé au moins un demi-paquet. J'étais un peu gêné de m'être répandu ainsi devant lui. Je n'avais encore raconté ça à personne, et ça m'avait fait du bien de vider mon sac. Mais je me suis dit que j'avais assez parlé de moi, que ce n'était pas pour ça que j'étais venu ici, maintenant c'était à son tour de s'expliquer. Je lui ai reposé la question qui continuait à me trotter dans la tête, à savoir comment il en était arrivé au point de vouloir en finir avec l'existence. Contrairement à la tienne, c'est une histoire un peu compliquée, a-t-il dit. Je ne suis pas sûr que j'arriverai à te la faire comprendre. Essaie quand même, ai-je dit, si tu t'aperçois que je bâille, c'est que j'ai perdu le fil. Alors voilà, a-t-il commencé. Quand je me suis établi à mon compte, j'avais vingt-trois ans – aujourd'hui j'en ai trente de plus. Je me suis fixé une échéance, une deadline comme on dit. Une ligne que je me suis promis de ne pas franchir. À cinquante ans, j'arrêtais l'expertise automobile et je me lançais à fond dans la philosophie. J'étais persuadé de pouvoir tenir cet engagement pris avec moi-même. Sauf que ça ne s'est pas passé de cette manière. Une fois le moment venu, au lieu de m'arrêter, j'ai continué de travailler comme avant, et même encore plus qu'avant. Je reportais l'échéance de semaine en semaine, puis de mois en mois, et je n'arrivais pas à décrocher. Bien sûr, pendant tout ce temps, je n'avais pas oublié mon projet. J'avais lu beaucoup, j'avais des cahiers remplis de notes, j'avais fait l'ébauche du livre que je comptais écrire. Ou plutôt, des ébauches, des dizaines d'ébauches. Le livre ça viendrait plus tard, j'avais besoin d'avoir l'esprit libre pour m'y consacrer entièrement. Mais il s'est produit une chose que je n'avais pas prévue. Plus les années passaient, moins j'avais les idées claires, moins je savais où je voulais en venir. Toutes ces ébauches, tous ces fragments accumulés, ça faisait comme une sorte de magma, une masse pro-

liférante que je ne maîtrisais plus. Et maintenant, quand il m'arrive de les relire, je me rends compte que tout ça ne vaut pas grand-chose. Que pendant des années, je me suis bercé d'illusions, que je n'ai pas cessé de me mentir à moi-même. Que toute cette énergie, je l'ai dépensée en pure perte. Que je n'ai plus rien à dire. Que je n'ai sans doute jamais rien eu à dire. Voilà où j'en suis aujourd'hui. Nulle part. Le ratage absolu. L'échec sur toute la ligne.

Il y a eu un long moment de silence. Le type se tenait penché en avant, les fesses posées tout au bord du siège, comme s'il allait se laisser tomber dans le feu. N'exagérons rien, ai-je fini par dire. Tout ce que tu as fait, tous ces bouquins que tu as lus, ces pages que tu as écrites, ils n'ont pas disparu comme ça, ils ne se sont pas volatilisés dans la nature. Non, ce que je me demande, c'est pourquoi une fois rendu à cinquante ans, tu as continué à bosser comme un malade. Peut-être que dans le fond, être dans les bagnoles, tu aimes ça. Ah, parlons-en, s'est-il exclamé. Si tu savais ce que j'en ai marre de ce boulot. Marre des accidents, et des calculs de trajectoires, et des témoignages devant les tribunaux, et des devis pour les compagnies d'assurance, et des enveloppes refilées en douce par des carrossiers véreux, et des ballons de rouge à sept heures du mat' dans des garages minables. Trente ans que je fais ça, trente ans que je veux faire autre chose, que je me lève chaque matin en me disant, encore une foutue journée à tirer. À ton avis, je lui ai demandé, il y en a beaucoup, des mecs que ça amuse d'aller au turbin? Si tu en connais, il faudra que tu me les présentes. Et quand on n'en a pas, de turbin, c'est encore pire. Au moins, tu as la chance de travailler pour toi, sans comptes à rendre à personne, sans un patron dans ton dos qui te houspille, qui te cherche des crosses pour tout et pour rien. Je suis bien placé pour en parler, jusqu'il n'y a pas si longtemps je travaillais dans un garage, le garage Fauconnier ça s'appelle, tu dois le connaître. Le patron, c'était un vieux type toujours mal luné, je ne l'ai jamais vu un jour de bonne humeur, à croire qu'il avait deux pieds gauches. Il n'arrêtait pas de nous gueuler dessus, et nous tout ce qu'on pouvait dire, c'était oui patron, compris patron, je t'emmerde patron. Il était sourd comme un pot, on lui sortait les pires horreurs, il n'entendait rien du tout, il essayait bien de lire sur les lèvres, mais il suffisait de mettre sa main devant sa bouche, alors il s'en allait comme ça, espèce de grossier personnage, ôte ta main de ta bouche quand tu me parles, et nous, pour ne pas qu'il nous entende, on faisait exprès de parler sans remuer les lèvres. Un de nos trucs préférés, on lui posait une question idiote, genre toujours cocu, Fauconnier? Ou bien, Fauconnier, on peut pisser dans ta poche? Et comme il ne pigeait rien à ce qu'on disait, il répondait n'importe quoi, on verra ça demain, aujourd'hui je n'ai pas le temps, ou alors, oui, mais finis d'abord ce que tu as commencé. Quatre ans j'ai tenu le coup ainsi. Jusqu'au jour où l'animal a prétendu que j'avais remplacé des bougies encore neuves et que je les avais mises dans ma poche. Ce jour-là j'en ai vraiment eu ma claque, je pouvais m'écraser pour beaucoup de choses, mais je n'admettais pas qu'on me traite de voleur. Alors j'ai attrapé le pistolet à peinture et j'ai écrit sur la fenêtre de son bureau, en grandes lettres rouge vif, «Fauconnier nazi», avec une croix gammée en dessous. D'accord, ce n'était pas très malin, mais ça m'était venu comme ça, en tout cas les gars se sont bien marrés, ils ont tous défilé pour voir l'inscription, quand le vieux s'en est aperçu, j'avais déjà enlevé ma salopette et j'étais rentré chez moi. Je n'étais pas encore arrivé qu'il me téléphonait, ne le prends pas comme ça, qu'il m'a dit, je voulais juste te charrier un peu, je le sais bien que tu es un gars honnête, tu es le meilleur ouvrier que j'ai jamais eu, je n'en retrouverai pas de pareil, et patati et patata. Moi je l'ai laissé pleurnicher, et quand il eu fini son boniment, je lui ai dit que ses bougies, il pouvait se les foutre dans le cul et faire un feu d'artifice avec, et là-dessus je lui ai raccroché au nez.

Je me suis interrompu. Pendant que je parlais, le visage du type avait changé d'expression. Au début il m'écoutait en hochant la tête, puis quand j'étais venu avec l'histoire des bougies, j'avais bien senti qu'il devenait nerveux. Il s'était mis à jouer avec son canif, il n'arrêtait pas de sortir et de rentrer la lame, il appuyait dessus avec la paume de la main, au risque de se l'enfoncer dans la chair. Excuse-moi de t'assommer avec mes bavardages, ai-je dit. Ce que je te raconte là n'est pas bien intéressant, en plus tu dois connaître tout ça par cœur. Au contraire, a-t-il fait, ce que tu dis m'intéresse. Ça m'intéresse même beaucoup plus que tu ne le penses. Je n'ai pas très bien saisi le sens de cette remarque. C'était la deuxième fois qu'il me disait ça, je me demandais ce qu'il y avait de si intéressant là-dedans, et pourquoi ça avait fait que son attitude était subitement devenue différente. Mais comme il n'a rien ajouté, je me suis abstenu de lui poser la question. J'ai pensé qu'il valait mieux le questionner sur son bouquin, ce bouquin qu'il traînait derrière lui comme un boulet et qu'il prétendait ne pas être capable d'écrire. Parce que si j'avais bien compris, c'est à cause de ça qu'il voulait se suicider. Et moi, avec la meilleure volonté du monde, je n'arrivais pas à comprendre qu'on puisse décider de mourir pour une chose pareille.

9

Bon, ai-je dit, essayons de nous résumer. Le jour où tu t'installes, tu te dis je fais expert jusqu'à cinquante ans, et quand j'ai assez d'argent pour mes vieux jours, j'envoie promener les bagnoles et je fais philosophe à temps plein. Seulement, ça ne se passe pas ainsi, les années s'envolent comme des petits oiseaux, tu te retrouves avec cinquante-trois balais au compteur, la ligne blanche est là devant toi, tu l'as même un peu dépassée, tu n'as toujours pas écrit le livre de ta vie, même pas les premières lignes du premier chapitre, et là tu te rends compte que tu n'as plus rien à dire. Si je peux te donner mon avis, c'est ce qui se passe quand on lit trop de choses, à la fin ça te prend tellement la tête que tu n'oses plus sortir un mot, tu as l'impression que quelqu'un est déjà passé par là et qu'il t'a piqué d'avance toutes tes idées. À moi, ça ne risque pas de m'arriver, déjà content quand il m'en vient une d'idée, même une petite de rien du tout, même une que des millions de gens ont eue avant moi. Donc, pendant toutes ces années où tu as bossé comme un dingue, les idées sont restées bien au chaud dans ta tête, elles n'ont pas arrêté de gigoter comme des asticots, et maintenant que te voilà prêt à t'en servir, tu t'aperçois qu'elles ont disparu, elles sont parties Dieu sait où les salopes, ton cerveau est devenu aussi sec qu'une crotte d'éléphant, alors tu te dis que tu as raté ton coup, que ta vie n'en vaut pas la peine, et en fin de compte tu n'as plus qu'une envie, c'est de t'expédier dans un monde meilleur.

Le type remuait la tête en faisant des sortes de huit, ce qui pouvait vouloir dire qu'il était d'accord ou au contraire qu'il ne l'était pas, ou qu'il était d'accord sans l'être vraiment, ou qu'il était d'accord avec certaines choses mais pas avec d'autres. Pourtant, je n'avais fait que répéter ce que qu'il m'avait dit, je m'étais juste contenté de changer les mots, de mettre les miens à la place des siens. Vas-y, continue, a-t-il dit. Alors je suis revenu avec mon idée de tout à l'heure, l'idée de la femme et de la maîtresse, elle avait eu son petit succès, elle pouvait encore faire de l'usage. Dans le fond, tu as continué à vivre avec ta femme la mécanique, et pendant ce temps-là tu voyais ta maîtresse la philosophie en secret, et ta maîtresse a attendu patiemment son heure, elle a rongé son frein en silence, et les années ont passé, et elle a vu que tu ne te décidais pas, et un beau jour elle en a eu marre, elle n'avait pas envie de vieillir toute seule, alors elle t'a mis au pied du mur, si tu ne la plaques pas, elle a dit, c'est moi qui vais te plaquer. Et franchement, on ne peut pas lui donner tort, à sa place j'aurais fait pareil, parce qu'elle a beau t'aimer et tout, la patience a des limites, tu ne crois pas?

Le type n'a rien répondu. Il restait plongé dans ses pensées, il se passait machinalement la main dans les cheveux, ou bien il se caressait la barbe comme si ç'avait été une fausse. À mon avis, ça devait l'agacer que je lui parle de cette manière, il n'avait pas tellement envie qu'on lui dise ses quatre vérités, et surtout pas quelqu'un comme moi qui n'y entendait rien à la philosophie. Je dois reconnaître que la situation était assez étrange. Elle l'était déjà pour toutes sortes de raisons, mais encore plus depuis que j'employais le mot philosophie, un mot que je n'avais pas utilisé une seule fois en trente-sept ans, et que j'utilisais maintenant comme si je le comprenais. Bon, ai-je fait, j'arrête de parler, de toute façon je vois bien que c'est inutile. Il y a encore des choses que je voulais dire, mais que finalement je ne dirai pas, des choses du genre, mais non vieux, ta vie n'est pas foutue, le meilleur reste à venir, tu as tes belles années devant toi, à cinquante ans on n'est pas un homme fini, à cinquante ans c'est seulement la vie qui commence, si pas celle d'avant du moins une autre. Et puis aussi, vieux, si tu réfléchis bien, tes idées elles n'ont pas disparu, ça ne s'en va pas ainsi des idées, un jour tu en as le lendemain tu n'en as plus, si tu veux que je te dise mon avis, elles sont juste allées faire un tour en attendant, dis-leur quelques mots gentils et tu les verras se rappliquer, toutes contentes de retrouver leur place au chaud à l'intérieur de ta tête, et là peut-être que tu pourras commencer à l'écrire ton bouquin. Non, toutes ces choses, même si je les pense je ne te les dirai pas, parce que je me rends compte que ça ne servirait à rien.

Ça s'appelle une prétérition, a sorti le type d'un air supérieur. Une quoi? j'ai demandé. Une prétérition. Une figure de rhétorique. Je dis que je ne vais pas dire quelque chose que je dis quand même. Ah bon, alors comme ça, je fais des prétéritions? Dis donc, je suis doué, quand je m'y mets. Blague à part, je peux te poser une question? Si je te comprends bien, tu es en train de me raconter que, parce que tu n'arrives pas à écrire ton livre, tu veux mettre un point final à ton existence? Hein, c'est ça? Pour toute réponse, il s'est contenté d'allumer une autre cigarette. Si c'est ça, laisse-moi te dire que ça ne tient pas debout. On ne se suicide pas à cause d'un bouquin qu'on n'arrive pas à écrire. On peut se sentir découragé, peut-être même un peu déprimé, mais de là à vouloir se foutre en l'air, il y a comme qui dirait de la marge. Qu'est-ce que tu en sais? a-t-il répliqué d'un ton agressif. Tu as déjà essayé d'en écrire un? Ça, il n'y a pas de danger, ai-je dit, surtout quand je vois où ça mène. Bon alors, de quoi tu parles? a-t-il fait. Il avait l'air furieux, je le sentais prêt à sortir de ses gonds, preuve que je venais de toucher un point sensible. J'en ai profité pour pousser mon avantage. Tu dis que tu as essayé de l'écrire, ai-je continué, mais moi je crois que tu t'y es mal pris, que tu ne t'en es pas vraiment donné les moyens. Tu m'as expliqué toi-même qu'arrivé à cinquante ans, qui est l'âge que tu t'étais fixé comme limite, tu as continué à faire ton boulot d'expert automobile. Alors la question que je me pose, c'est pourquoi tu ne l'as pas arrêté ce boulot, ce qui aurait été d'autant plus facile qu'il ne t'intéressait pas? Et pourquoi une fois rangé des voitures, si je peux dire comme ça, tu ne t'es pas mis sérieusement à l'ouvrage, au lieu de te lamenter sur ton sort? Moi ce que je crois, c'est que ça t'arrangeait bien de continuer avec les voitures, parce que ça te donnait un bon prétexte pour ne pas te mettre à écrire.

En entendant ces mots, le type a bondi de son fauteuil, il s'est précipité sur moi et m'a attrapé par le col de la veste, me forçant à me lever à mon tour. Arrête tes âneries, m'a-t-il soufflé au visage. Je ne t'ai pas demandé de venir ici pour me faire la morale. Je ne suis peut-être qu'un raté, un penseur sans envergure, un philosophe à la petite semaine, mais si j'ai des conseils à recevoir de quelqu'un, ce n'est pas d'un individu dans ton genre. Alors, s'il te plaît, épargne-moi ta psychologie de bazar. Il a relâché son étreinte et m'a repoussé sur mon siège. C'était la première fois qu'il s'en prenait à moi physiquement. Pour quelqu'un qui prétendait tout résoudre avec des mots, il avait du mal à maîtriser ses nerfs, et sa réaction était comme un signe d'impuissance. Il s'est éloigné de cinq ou six pas, a ramassé des cailloux qui traînaient et les a balancés de toutes ses forces sur les carcasses de voitures.

Au bout d'un moment, il est revenu en traînant la semelle, on aurait dit que son corps pesait une tonne. Il s'est affalé sur le siège, si près du bord qu'il a failli tomber par terre. Excuse-moi, a-t-il dit, je n'aurais pas dû m'énerver, je ne sais vraiment pas ce qui m'a pris. Depuis quelques jours je suis à cran, je me mets en boule pour un rien. Ce n'est pas grave, ai-je dit, ça vaut mieux que d'attraper un ulcère. Je ne veux pas paraître indiscret, mais pourquoi depuis quelques jours? Qu'est-ce qui s'est passé pour que tu sois ainsi? Il a secoué la tête de gauche à droite. Je n'ai pas envie de parler de ça, a-t-il déclaré. Tu sais, ai-je continué après un silence, pour ton livre, il n'est peut-être pas trop tard. Tu ne crois pas qu'on pourrait en discuter? La philosophie, ce n'est pas mon rayon, et si je devais le lire moi-même, il est probable que je n'y comprendrais rien. Mais toi, tu pourrais essayer de me l'expliquer, de me dire ce qu'il y a dedans avec des mots simples. Il a de nouveau secoué la tête. Le problème, a-t-il dit, le problème, c'est que ce livre n'existera jamais. Comment? me suis-je exclamé. Tu m'as dit que tu avais pris un tas de notes, que tu avais même fait plusieurs brouillons. Donc, la matière tu l'as, tout ce qu'il te reste à faire, c'est de la mettre en musique. Justement, des notes, a-t-il répondu. Des pensées éparses. Des ébauches de chapitres. Tout ça ne fait pas un livre. Ça ne fait pas encore un livre, l'ai-je repris. Mais il ne tient qu'à toi que ça en fasse un. Et des pages comme ça, tu en as écrit beaucoup? Il a réfléchi un instant, puis il a répondu qu'il ne savait pas au juste, mais que ça devait bien faire dans les trois mille. Putain, trois mille pages, j'ai dit moi. Eh bien respect, j'ai dit. C'est vrai, trois mille pages ce n'est pas rien. J'essayais d'imaginer la pile de papier que ça pouvait faire, ces milliers de phrases et ces dizaines de milliers de mots, tous alignés les uns derrière les autres comme les wagons d'un train, rien que d'y penser ça me donnait le tournis. Moi, pour écrire une lettre, une simple lettre de quinze lignes, ça me prenait la journée entière. Et toutes ces pages que tu as écrites, qu'est ce qu'elles vont devenir? ai-je demandé. Rien, a-t-il répondu. Rien, comment rien? ai-je fait. Rien, a-t-il répété. Je les ai effacées. Elles n'existent plus. Attends, ai-je dit, tu te fous de moi? Pas du tout, a-t-il dit, je te jure que c'est la vérité. Eh ben merde, je me suis dit, celle-là c'est la meilleure. C'est vrai, comment est-ce qu'il avait pu faire une chose pareille? Travailler comme un fou pendant des années, et puis tout bousiller en quelques secondes, je dois dire que ça me dépassait complètement. En plus, à quoi ça servait qu'on discute ainsi, puisque de toute façon on parlait de quelque chose qui avait cessé d'exister.

Je me suis levé et je suis allé faire quelques pas. Du coup, tout mon enthousiasme avait disparu, je ne ressentais plus que de la colère et de l'incompréhension. Tout ce qu'il méritait, c'est qu'on lui botte les fesses une bonne fois, pour qu'il arrête avec ses enfantillages. J'avais appris une chose dans la vie, c'est qu'on doit respecter le travail qu'on fait, que ne pas le respecter, c'est ne pas se respecter soi-même. Mais ça le type, visiblement personne ne lui avait appris, et il ne fallait pas qu'il compte sur moi pour lui expliquer. Il avait décidé de mourir, finalement c'était encore le mieux qu'il avait à faire, et pour ça au moins je pouvais lui donner un coup de main.

10

Je suis retourné m'asseoir en face du type. Il était resté à la même place, il regardait fixement le feu en train de partir, peut-être qu'il repensait à toutes ces pages qu'il avait détruites. Écoute, j'ai dit. J'ai bien réfléchi à ce que tu viens de me raconter. C'est très intéressant notre discussion, mais ça ne fait pas avancer le schmilblick. Je crois qu'on s'est un peu égaré en chemin et que maintenant le moment est venu de passer à l'acte. Il a levé vers moi des yeux vagues, comme s'il ne comprenait pas de quoi je parlais. Oui, ai-je poursuivi, sans lui laisser le temps d'intervenir, je crois que tu as raison de vouloir arrêter les frais. J'ai essayé de te convaincre du contraire, mais je me rends compte que j'avais tort. Quand comme toi on a raté son coup, qu'on n'a pas réussi à atteindre le but qu'on s'était fixé, que les choses auxquelles on tenait le plus vous ont claqué entre les doigts, qu'est-ce qu'il vous reste comme solution à part tirer sa révérence? Et si je te dis ça, ce n'est pas seulement dans ton intérêt, c'est aussi parce que je dois penser au mien. Tu vois, il y a encore deux minutes, j'avais envie de te consoler, de te refaire un moral tout neuf, de te dire que ta situation n'était pas si grave. Mais une supposition que je sois arrivé à te convaincre : tu étais reparti avec le vent dans les voiles, prêt à bouffer de l'horizon comme un mort de faim, et pendant ce temps-là moi je restais planté sur le quai, à agiter mon mouchoir en regardant le pactole qui s'éloigne. Tu comprends, ce n'est pas possible, je ne peux pas te laisser partir ainsi, une occasion pareille ne se présentera pas deux fois, ça serait criminel de ma part de la laisser filer. Donc, si tu te sens prêt, moi je le suis aussi.

Tandis que je lui débobinais mon petit laïus, la stupéfaction était apparue sur son visage. Il me scrutait avec l'air de ne pas y croire, les yeux écarquillés et la mâchoire pendante. Attends, a-t-il fini par articuler, tu parles sérieusement? Tout à fait sérieusement, ai-je dit. Je n'ai jamais été aussi sérieux de ma vie. Et c'est vrai que j'étais tout à fait sérieux. En fait, il était en train de se passer une chose étrange. Il y a quelques heures, quand je ne savais encore rien du type, ni de son père, ni de ses histoires d'écriture, ni de tout le reste, j'aurais été incapable de le descendre. Mais maintenant que je commençais à le connaître un peu mieux, même si ce que je connaissais n'était rien par rapport à ce que je ne connaissais pas, cela ne me paraissait plus aussi impossible à faire. Je dis que c'est une chose étrange, parce que logiquement ç'aurait dû être l'inverse : il est plus facile de tuer quelqu'un dont on ne sait rien que quelqu'un qu'on connaît un peu. En tout cas, c'est ce que j'aurais répondu si on m'avait posé la question. Et voilà que maintenant je ne raisonnais plus du tout ainsi, même si je ne m'expliquais pas trop pourquoi. Bien sûr, comme je l'ai dit, il y avait l'aspect financier, mais ce n'était pas le plus important. Sans doute que quand on connaît mieux une personne, il est plus facile de comprendre les raisons qu'elle a d'agir de telle ou telle manière. C'est ce que j'ai essayé d'expliquer au type, mais il ne l'a pas pris aussi bien que j'aurais cru.

Il y a dix minutes, a-t-il dit, tu pensais le contraire. Que c'était stupide de ma part de vouloir mourir. Qu'à mon âge il n'était pas trop tard pour tout recommencer, et cetera. Exact, ai-je répondu, c'est ce que je pensais il y a dix minutes. Mais il se fait qu'entre-temps j'ai changé d'avis. Alors, si tu n'y vois pas d'objection, je propose de passer aux choses pratiques. Comment veux-tu que nous procédions? Que nous procédions – pour quoi? a-t-il dit. Ma parole, ai-je pensé, il le fait exprès. Après avoir pris son monde de haut, voilà maintenant qu'il joue les imbéciles. J'ai décidé de rester calme et de ne pas entrer dans son jeu. Tout à l'heure, ai-je dit, tu m'as affirmé que tu avais tout prévu, que tu avais pris des dispositions pour ton suicide. Je te demande simplement de me communiquer ces dispositions. Sinon, c'est moi qui vais devoir choisir à ta place. Il est allé faire quelques pas en se frottant la tête, comme s'il n'arrivait plus à se rappeler son adresse ou l'endroit où il avait laissé sa voiture. Concrètement, ai-je dit en désignant le revolver, je suppose que je me sers de ce flingue? Et qu'il est chargé? Oui, il est chargé. Combien de balles? Deux, enfin je crois. Quelle position ? Comment, quelle position? Dans quelle position te mets-tu? Assis? Debout? À genoux? Debout. Non, assis. Que préfères-tu que je vise? La bouche, la nuque, la tempe ou le front? Je – je ne sais pas. Qu'est-ce que tu en penses? Moi, je ne pense rien. Fais comme tu le sens. Ceci dit, je te déconseille la bouche. C'est moche et parfois ça rate, après il faut recommencer. Et je ne dispose que de deux balles. Alors, que choisis-tu? Euh – la tempe. Va pour la tempe. Bon, voyons maintenant la suite.

À ce moment, le type a sauté de son siège, comme s'il y avait le feu à son pantalon. Arrête, a-t-il dit, je t'en prie. Je préfère que tu ne me décrives pas tout en détail. C'est comme chez le dentiste, s'il t'explique ce qu'il est en train de faire, tu as l'impression de souffrir deux fois, une fois dans ta bouche et une fois dans ta tête. Quand il m'a sorti cette histoire de dentiste, je dois dire que ça m'a bien fait rigoler. Le type n'avait pas l'air de se rendre compte que ce qui l'attendait, c'était autrement plus sérieux que de se faire enlever une molaire, que c'était une intervention dont il ne se relèverait pas. Je comprends, ai-je dit,

mais moi j'ai besoin de savoir. Par exemple, une fois que je t'ai zigouillé, qu'est-ce que je fais avec le cadavre? Je ne peux quand même pas le ramener chez moi et l'installer dans un fauteuil devant la télé. Je ne peux pas non plus le laisser ici, pour qu'il se fasse bouffer par les rats ou par les chiens. Qu'est-ce qu'elles prévoient à ce sujet, tes dispositions? Je m'attendais à ce qu'il me dise, jette mon corps au fond d'un trou et recouvre-le de branchages, ou bien coule-le dans du béton, enfin les trucs classiques. Sinon qu'il n'y avait pas de trou en vue et que je ne disposais pas d'une bétonnière, quant à me taper le travail avec une pelle, il n'en était pas question. C'est à ce moment que le type m'a sorti son idée. Je savais déjà qu'il était tordu, mais jamais je n'aurais imaginé que c'était à ce point-là. Voici, dans les grandes lignes, ce qu'il voulait qu'on fasse. Il s'installait à bord d'une épave. Une fois que je lui avais réglé son compte, je montais dans la grue et au moyen de la pince, je transportais l'épave jusqu'à la presse. Je mettais la presse en marche, il en sortait un cube de ferraille avec le type dedans, que je n'avais plus qu'à aller déposer au-dessus des autres cubes.

Quand il a eu fini de me décrire son programme, ça a été mon tour de me demander s'il parlait sérieusement ou s'il était occupé à se payer ma tête. Mais pas du tout, le type était sérieux comme un pape. Putain, je me suis dit, ce mec est complètement barré. Ce qu'il lui faut, ce n'est pas un costume en métal, c'est une camisole de force. Sans mentir, il y a des gens qu'on enferme dans les asiles, à côté de lui ils ont l'air aussi sages que des vieux bouddhas. Eh bien, ai-je dit, tout ça me paraît assez clair. Je vois juste un petit problème : je n'ai pas de permis pour conduire les grues, juste un permis pour les voitures, et même celui-là on me l'a retiré. Alors si les flics passent par ici et nous contrôlent, tu ne crois pas qu'on risque d'avoir des ennuis? Le type n'a pas jugé bon de répondre, à mon avis il était tout à fait imperméable à l'humour. D'ailleurs, pour ce que je commençais à en savoir, les philosophes en général ne devaient pas être des gais lurons, on les imaginait mal au bistrot en train de boire des pintes en se tapant sur les cuisses.

Je lui ai demandé s'il persistait dans son idée. Mais lui n'en démordait pas, il avait l'air d'y tenir dur comme fer. Il a pris la grosse enveloppe sur la table et l'a agitée devant mes yeux. Je te rappelle qu'il y a là cent mille euros, a-t-il dit. Avec ça, si tu fais un peu attention, tu es à l'abri pour le restant de tes jours. Tu te figures peut-être que je n'y ai pas pensé, ai-je dit. Depuis ce matin je ne pense qu'à ça. Parfait, a-t-il continué. Tout ce que je te demande en échange, c'est de faire comme on a dit. C'est à prendre ou à laisser. Il a de nouveau agité l'enveloppe. Très bien, ai-je dit en soupirant. Et avec quoi je fais démarrer la grue ? M'étonnerait qu'ils aient laissé la clé sur le contact. Tu es électricien automobile, non? a-t-il répliqué. Alors, ça ne devrait pas être un problème pour toi. Supposons que j'arrive à la mettre en marche, ai-je dit. Et puis après ? Je n'ai jamais mis les pieds dans ce genre d'engin. Je peux te montrer, a-t-il fait. Parce que toi, tu sais comment ça fonctionne? me suis-je exclamé. J'ai déjà utilisé une pelle mécanique, a-t-il dit, ça ne doit pas être très différent, tous les engins de chantier se ressemblent. Et pour la presse ? Ne me dis pas que tu t'es déjà servi d'une presse à ferraille ? Non, mais j'y ai jeté un coup d'œil pendant que je t'attendais, il n'y a rien de bien sorcier là-dedans. À l'entendre parler ainsi, on aurait dit que c'était aussi facile à utiliser qu'un moulin à viande. Décidément, ce type était dingue, cet endroit était dingue, tout cela était absolument dingue.

11

Ça nous a pris une demi-heure pour qu'il m'explique les commandes, celles de la grue et celles de la presse. En effet, ça avait l'air assez simple, du moins en principe. Car dans la pratique, c'était une autre paire de manches. Pour arriver à s'en servir correctement, cela demandait un minimum d'expérience, une expérience que je n'avais naturellement pas. De plus, l'endroit n'étant pas éclairé, l'opération devait se faire à la lumière des phares, ce qui la rendait encore plus problématique. Bref, toutes les conditions étaient réunies pour rendre la tâche insurmontable, et il me paraissait évident que cette première tentative ne pouvait qu'aboutir à un échec. J'ai essayé de l'expliquer au type, mais il a balayé mes objections d'un revers de main. Ou bien il surestimait de beaucoup mes capacités, ou ce qui était plus probable, il ne mesurait pas vraiment la difficulté de la chose, comme si tout cela avait été une sorte de meccano grandeur nature. D'ailleurs parfois le type me faisait penser à un môme, tantôt il avait l'air d'avoir cinq ans et de tout découvrir avec des yeux émerveillés, tantôt au contraire on aurait dit qu'il avait déjà vécu une douzaine de vies, qu'il croulait sous le poids des ans et des tracas. En ce moment, c'était plutôt le môme occupé à me montrer son nouveau jouet. Un môme complètement inconscient, qui ne semblait pas se rendre compte que si je mettais son projet à exécution, d'ici quelques minutes il ne resterait de lui qu'une bouillie d'os broyés et de chairs en lambeaux, une masse informe qui pisserait le sang de partout, avec des bouts de vêtements sortant de la ferraille.

Finalement, j'ai renoncé à mes objections. De toute façon, ça ne servait à rien d'insister, une fois qu'il aurait ses deux balles dans la tête, il ne serait plus là pour voir ce que je faisais ou ce que je ne faisais pas. Ça ne manquait pas de flotte dans le coin, je n'aurais qu'à le balancer dans le canal, et allez maman les petits bateaux. Aussi ai-je suivi ses explications avec le même sérieux qu'il mettait à me les donner. À chaque étape, le type me demandait de répéter après lui, pour être sûr que j'avais bien enregistré, et moi je faisais docilement comme il me disait. D'abord, je déplaçais la grue près de l'épave indiquée, que je saisissais comme un morceau de sucre dans son énorme pince. Je transportais la carcasse jusqu'à la presse et je la déposais dans une espèce de benne. Là, je descendais de la grue dont je coupais le contact, puis je grimpais par un escalier en fer jusqu'à une petite cabine vitrée, dans laquelle se trouvait le pupitre de commandes. La porte était ouverte, ce qui était à première vue surprenant, mais à la réflexion cela l'était moins, car qui aurait eu l'idée de se rendre là pendant la nuit et de faire le travail du démolisseur à sa place ? Personne. Personne, sauf le type.

La deuxième phase consistait à procéder au compactage de la carcasse. Le pupitre comportait une série de manettes dont la fonction était indiquée au-dessous, c'était écrit en allemand mais le type me traduisait au fur et à mesure. La partie principale de la presse était un gros cylindre muni d'un couvercle. Les diverses opérations que j'avais à exécuter étaient les suivantes : ouvrir le couvercle, faire glisser l'épave dans le cylindre, refermer le couvercle, enclencher le compacteur, ouvrir la porte située à l'extrémité du cylindre. Cela fait, je descendais de la cabine et me rendais au pied d'une espèce de toboggan où, si tout s'était déroulé comme prévu, devait m'attendre un cube de ferraille d'environ quatre-vingt centimètres de côté – un cube qui contenait le cadavre déchiqueté d'un philosophe de cinquante-trois ans.

Il restait à faire une dernière manœuvre. Avec une autre grue plus petite, où la pince était remplacée par un aimant, en fait un disque métallique large comme une roue de camion, je soulevais le cube compressé et j'allais le déposer sur les autres. J'ai demandé au type s'il avait une préférence pour l'endroit, il a hésité un instant et a répondu que non, ça lui était égal, je pouvais choisir moi-même. Puis il a réfléchi et il a ajouté, de préférence un endroit pas trop visible. Tu crois que tu vas t'en sortir? a-t-il demandé. Moi oui, ai-je dit. Toi, j'en suis moins sûr. Il n'a pas relevé le mot, il s'est contenté de reposer sa question, apparemment il avait quand même un léger doute sur mes aptitudes. Je l'ai assuré qu'il n'avait pas de souci à se faire, que ce qu'il me demandait était l'enfance de l'art, que je me sentais capable de relever des défis bien plus difficiles. Très bien, parfait, a-t-il dit en se frottant les mains, visiblement rassuré par ma réponse catégorique. Après coup, je me suis demandé pourquoi il ne m'avait pas fait la démonstration lui-même, au lieu de se borner à m'indiquer les opérations que j'aurais à accomplir. Puis je me suis souvenu que le type était un cérébral, quelqu'un qui se contentait d'expliquer les grands principes, à charge pour les autres de les mettre en application.

Quand on a eu terminé la séance de formation accélérée, on est retournés près du feu. Il a pris le revolver et l'enveloppe et les a mis dans sa poche. Puis il s'est dirigé vers une des épaves en attente de démolition. C'était une Mercedes de couleur sombre, un modèle datant d'il y a quelques années. Elle avait reçu un drôle de choc pour se retrouver dans cet état : l'avant était replié jusqu'à hauteur de l'habitacle, la colonne de direction était tordue, le tableau de bord sorti de son logement, il y avait des fils électriques arrachés un peu partout, un morceau d'airbag déchiré pendait du volant comme un petit parachute. Elle ne devait pas être là depuis longtemps, car elle avait conservé le moteur et les roues, ainsi que les sièges, les portières et les garnitures intérieures. Le type s'est installé à la place du conducteur, en se contorsionnant pour faire entrer ses grandes jambes. Il était assis dans une position très inconfortable, heureusement qu'il n'allait pas rester longtemps ainsi, sans quoi il se serait payé un bon lumbago. Il m'a invité à prendre place sur le siège arrière, a extrait le revolver de sa poche et me l'a passé par-dessus son épaule. J'ai été surpris par le contact désagréable de l'arme avec ma main, je me suis mis à trembler malgré moi. Le type lui ne tremblait pas, il avait l'air presque détaché de ce qui se passait, un peu comme s'il essayait une voiture au salon de l'automobile. Je dois reconnaître qu'à ce moment, je lui aurais bien tiré mon chapeau, parce que si j'avais été à sa place, j'aurais été drôlement plus nerveux.

Voilà, a-t-il dit, je suis prêt, on peut y aller. Le problème, c'est que moi je n'étais pas prêt. Je ne pouvais pas le descendre ainsi, sans lui dire au moins quelque chose d'amical, une ou deux phrases de réconfort avant de l'expédier ad patres. J'ai toussé un peu pour m'éclaircir la voix. Je suis content de t'avoir connu, ai-je dit. Quoi qu'il arrive, sache que je serai toujours – enfin, qu'il y aura toujours quelqu'un qui pense à toi. J'aurais aimé trouver autre

chose, une formule un peu plus originale, mais c'est tout ce qui m'est venu à l'esprit. Alors je lui ai demandé s'il ne désirait rien, une dernière cigarette, un verre d'alcool, une aile de poulet, enfin ce qu'on propose d'ordinaire aux condamnés. Du moins est-ce ainsi que ça se passe dans les films, il va sans dire que pour moi cette situation était tout à fait inédite. Le type n'a pas jugé bon de répondre. J'ai eu honte de moi, ce que je venais de dire était totalement ridicule, sans doute que je voulais me laisser un peu de rab avant le geste fatidique.

Comme le type s'impatientait sur son siège, j'ai levé le revolver et je l'ai pointé sur sa tempe, le canon bien à angle droit. Ne le mets pas contre, a-t-il dit, éloigne-le de quelques centimètres. Je n'ai pas compris pourquoi il me demandait ça. Peut-être y avait-il une raison technique, mais je n'ai pas jugé utile de lui poser la question, je me suis contenté de faire comme il disait. J'ai armé le chien, j'ai posé l'index sur la détente et j'ai commencé à presser dessus. Ma main tremblait, mon bras tremblait, mon corps entier tremblait. Un millimètre. Un millimètre de plus et tout serait fini. Mais ce millimètre-là était le plus dur, si dur que je n'arrivais pas à le franchir. Pour me donner du courage, j'ai essayé de penser à l'argent, à ce que j'allais pouvoir faire avec l'argent. Je me répétais mentalement, cent mille euros, il y a là cent mille euros, tu le franchis ce foutu millimètre et tout cela est à toi. Mais c'était impossible, je n'arrivais plus à bouger le doigt, comme si mon cerveau refusait de commander à ma main. Il s'est écoulé quelques secondes interminables, dont chacune m'a paru durer une minute entière. Alors, ça vient? a dit le type d'un ton agacé. Oui, ai-je dit, voilà, tout de suite. Mon cerveau s'est reconnecté, j'ai appuyé à fond sur la détente, le coup est parti avec une forte détonation, une odeur de poudre brûlée s'est répandue dans l'habitacle. Le buste du type s'est incliné vers l'avant, comme si on avait retiré la cale qui le maintenait, son front est venu heurter le tableau de bord et tout son corps s'est immobilisé. Je lui ai secoué l'épaule deux ou trois fois. Aucune réaction. Je n'ai pas tiré la seconde balle, ce n'était pas la peine, la première avait suffi. Cela avait été plus simple que je ne le pensais, j'étais étonné de la facilité avec laquelle on peut tuer son semblable. Je comprenais mieux pourquoi il existait des tueurs, pourquoi il y avait des guerres et des massacres. Et encore, ai-je pensé, c'est ma première expérience, je suppose que quand on a pris l'habitude, supprimer quelqu'un doit être un jeu d'enfant.

C'est alors que j'ai eu la plus grande frayeur de toute mon existence – si j'avais été cardiaque je crois bien que j'y serais resté. Pendant que j'étais en train de réfléchir ainsi, la tête du type s'est relevée lentement. J'ai poussé un cri de terreur et je me suis précipité hors de la voiture. Entre le moment où j'avais tiré et celui où le type avait bougé, il s'était écoulé tout au plus une trentaine de secondes. Mon cerveau s'est mis à fonctionner à toute allure, j'ai d'abord pensé aux histoires de défunts qui se redressent dans leur cercueil, puis contre toute vraisemblance que le type était mort et avait ressuscité, puis seulement après qu'il était toujours vivant. Je ne comprenais pas comment c'était possible, à cette distance je ne pouvais pas avoir raté mon coup. Il est sorti à son tour de la voiture en frottant ses doigts contre sa tempe. Il a marché dans ma direction et m'a pris le revolver des mains, je l'ai laissé faire sans esquisser un geste, tellement j'étais paralysé par la peur. Il a extrait les deux cartouches du barillet, celle qui avait servi et celle qui n'avait pas servi. Il les a saisies entre le pouce et l'index, les a mises à hauteur de mes yeux. Et là, tout à coup, j'ai compris. Après avoir tiré, je n'avais pas pensé à éjecter la douille, et si même j'avais voulu le faire, je n'y serais pas arrivé. Parce que les projectiles n'avaient pas de douille. Parce que ce n'étaient pas de vraies balles, mais des balles à blanc. Des putains de nom de Dieu de balles à blanc. J'avais fait confiance au type, je l'avais cru sur parole quand il m'avait dit que le revolver était chargé, d'ailleurs je n'avais aucune raison d'imaginer le contraire. Il avait fait semblant d'être mort, et moi je n'y avais vu que du feu, une sacrée comédie qu'il venait de me jouer là.

Il m'a fallu une minute ou deux pour retrouver mes esprits. Après les premiers instants de frayeur, j'ai été envahi par une bouffée de colère. J'ai donné un grand coup de talon dans la carrosserie, qui s'est enfoncée sous le choc. Une douleur atroce m'a traversé le bas de la jambe, je me suis mis à faire des petits bonds sur place, je venais de taper avec la cheville qui était déjà blessée. Mais quand j'ai vu le type qui me regardait d'un air amusé, j'ai oublié instantanément la douleur, j'ai attrapé une barre de fer qui traînait par là et je me suis mis à cogner comme un sourd sur le pare-brise, il y avait des morceaux qui volaient dans tous les sens, des éclats retombaient sur le châssis en une pluie de verre brisé. Arrête, a dit le type, tu risques de te faire mal. Va te faire foutre, lui ai-je répondu, je me passe de tes recommandations. Je t'ai dit d'arrêter, a-t-il poursuivi. Si tu veux passer tes nerfs, tape sur les autres voitures, mais laisse celle-là tranquille. Et si moi il me plaît de taper sur celle-là, ce n'est pas toi qui vas m'en empêcher, ai-je dit en m'attaquant à la vitre arrière. Alors il m'a sauté dessus et m'a immobilisé les bras. J'ai essayé de me dégager, mais le type était beaucoup plus fort que je n'aurais cru, il n'a pas eu de mal à me faire lâcher la barre qu'il a envoyée au loin. J'étais hors de moi, j'avais toutes les peines du monde à retrouver mon souffle, mes doigts étaient meurtris par les petits bouts de métal rouillé qui s'étaient détachés de la barre.

Pendant que je récupérais, le type est retourné prendre du bois. Cette fois, il s'est ramené avec des déchets de scierie, il les a jetés sur le feu pour le faire repartir, puis il s'est assis et s'est mis à fumer une de ses Gitanes. Après avoir hésité quelques secondes, je suis retourné m'asseoir en face de lui. Un air de vague contentement flottait sur son visage, sans doute repensait-il au bon tour qu'il venait de me jouer. De m'être défoulé sur l'épave, ça avait fait disparaître mon énervement, mais pas ma rancœur de m'être fait avoir. Bon, ai-je dit, en essayant de me contenir, je crois que tu me dois quelques éclaircissements. Peux-tu me dire à quoi rime tout ce cirque ? D'abord, tu me fais venir dans cet endroit sous le prétexte de réparer une Triumph que tu aurais soi-disant démolie. Une Triumph que je n'ai pas encore pu voir, et dont j'ai des raisons de douter qu'elle existe. Ensuite, tu me dis que ce n'est pas le vrai motif, que tu as choisi de mourir à cause d'un livre que tu n'arrives pas à écrire, et que tu comptes sur moi pour t'aider à faire le grand saut. Tu tergiverses, tu tires les choses en longueur, puis quand tu te décides enfin à y passer, voilà que tu me fais le coup des balles à blanc. Et je ne parle même pas de ta demande d'être transformé en un petit cube de ferraille. Je t'avoue que je ne vois pas à tout cela le début d'une explication cohérente. Depuis que je suis arrivé ici, j'ai l'impression de vivre un mauvais rêve. Aurais-tu l'obligeance d'éclairer ma lanterne et de me dire ce que tu attends réellement de moi? Le type a hoché lentement la tête, comme s'il approuvait mon analyse de la situation. Commençons par la fin, a-t-il dit. Les balles à blanc, c'était pour te tester. Pour savoir si tu étais capable d'aller jusqu'au bout. Même si cela a été un peu difficile, maintenant je suis fixé : tu es allé jusqu'au bout. C'est un premier point. Attends, ai-je dit, pas si vite. Ce test, comme tu l'appelles, quelles conclusions en tires-tu? Parce que moi je n'en vois aucune. Si tu voulais vraiment mourir, il fallait mettre de vraies balles. Et si tu ne voulais pas mourir, il n'était pas nécessaire de faire cette mise en scène. Entre parenthèses, je ne sais pas ce que tu vaux comme philosophe, ce qui est sûr par contre c'est que tu aurais fait un bon comédien. Mettons qu'il s'agissait, comment dire? d'une sorte de répétition, a-t-il répondu. J'y reviendrai plus tard, laisse-moi continuer. Mais à ce moment, il s'est interrompu et a mis la main sur mon bras. Écoute, a-t-il dit. Quoi, ai-je demandé, qu'est-ce qu'il se passe encore? Chut, écoute : tu entends? Un bruit. Un bruit de moteur. J'ai écouté à nouveau, et là je l'ai entendu, c'était en effet un bruit de moteur. Ce coup-ci, ça ne peut pas être les rats, ai-je pensé, à ma connaissance les rats n'ont pas de permis de conduire.

12

Le bruit s'est rapproché, le véhicule venait dans notre direction. Alors le type s'est mis à piétiner le feu pour l'éteindre, mais comme il n'y arrivait pas, il a dit planquons-nous, il y a des gens qui viennent, il ne faut pas qu'ils nous trouvent ici. Il a attrapé la bouteille sur le pare-brise et a couru se cacher derrière l'épave de la Mercedes. Je suis allé le rejoindre, il respirait à petits coups, il tremblait comme une feuille, il avait l'air paniqué. J'ai continué à écouter en retenant mon souffle, un moment j'ai cru que le véhicule, un pick-up blanc tout cabossé, allait passer son chemin, mais finalement il s'est arrêté à hauteur de la grille. Un gros type en est descendu, avec une parka et un bonnet de laine. Merde, a soufflé le type, le proprio, il ne manquait plus que ça. Mais non, j'ai chuchoté, ce n'est pas le proprio, pas à une heure pareille. Je te dis que c'est lui, a continué le type, il aura entendu le coup de feu et il sera venu voir ce qui se passait. Bon, peut-être qu'il avait raison, parce que le gars a sorti un trousseau de clés, a ouvert le cadenas et a poussé la grille. Il a fait claquer sa langue deux ou trois fois et un chien a bondi du véhicule. Enfin, bondi n'est pas vraiment le terme exact, disons plutôt qu'il s'est laissé dégringoler par terre. Tu as vu? a dit le type. Un chien, il va nous repé-

rer, cette fois on est frais. Te bile pas, j'ai dit, on n'a rien fait de mal, on n'a rien volé ni cassé, on n'a même pas abîmé la clôture. On va expliquer la situation au gars, on dira qu'on passait justement dans le coin et qu'on s'est arrêtés un moment pour tailler une bavette. Quoique, pour être tout à fait franc, je n'étais pas tellement rassuré moi-même. Surtout quand j'ai vu le gars faire demi-tour, retourner à son pick-up et en ressortir avec une carabine. Il s'est approché lentement du feu en jetant des regards autour de lui, suivi du chien qui reniflait à gauche et à droite et poussait de petits jappements. Cette fois, a chuchoté le type, on va se faire trouer la peau. Et alors, ai-je dit, ce n'est pas ce que tu voulais? Oui, a-t-il répondu, mais pas comme ça.

Une fois arrivé à hauteur du feu, le gars s'est mis à lâcher un chapelet de jurons. Bordel, mais vise-moi ça, t'as déjà vu un truc pareil, toi – j'ai supposé qu'il parlait à son chien. Ah les enfoirés, si jamais j'attrape ceux qu'ont fait ça, je te jure qu'ils vont passer un mauvais quart d'heure. On était à une dizaine de mètres de lui, on s'attendait à voir le chien s'amener d'un moment à l'autre, et le gars nous tomber dessus et nous mettre en joue avec sa carabine. Quand on a entendu qu'il s'éloignait, on a risqué prudemment un œil. Il se dirigeait vers le bâtiment en blocs de béton. Il l'a inspecté quelques secondes, puis il a ouvert la porte et tourné l'interrupteur, un rectangle de lumière jaune s'est découpé sur le sol. Le chien s'était couché près du feu, le museau entre les pattes et les paupières fermées, en poussant de petits soupirs d'aise, à mon avis il devait avoir autant d'odorat qu'une vieille pantoufle. Les phares éclairaient le mur de ferraille, c'était impressionnant comme spectacle, tous ces cubes empilés les uns sur les autres, ces épaves de voitures déglinguées qui traînaient partout. On aurait dit une sorte de cimetière, même celles qui n'étaient pas mangées par la rouille on n'en voyait plus la couleur, on se serait cru dans un vieux film d'épouvante en noir et blanc.

Au bout de quelques minutes, le gars est ressorti du bureau, il avait l'air un peu calmé, sous sa veste il portait un pyjama, sans doute qu'on l'avait tiré de son pieu, c'est pour ça qu'il râlait autant. Le type à côté de moi était mort de frousse, il n'arrêtait pas de me répéter à l'oreille, pourvu qu'il ne nous voie pas, pourvu qu'il ne nous voie pas. Le gars est revenu vers le feu, il a encore lâché une bordée de jurons, puis il a dit au chien, allez, viens, on rentre. Eh connard, tu m'entends? Secoue tes puces, ou je te laisse là pour la nuit. Comme le chien ne bougeait toujours pas, à mon avis il devait être en train de roupiller, il lui a flanqué un coup de pied dans les côtes. Le chien s'est levé en couinant, il a vacillé sur ses pattes, a failli tomber dans le feu, puis a suivi le gars jusqu'au pick-up. Après avoir refermé la grille, l'homme a fait une manœuvre et s'est éloigné lentement. On a écouté le bruit du moteur qui diminuait, jusqu'à ce qu'on ne l'entende plus du tout, par prudence on a encore attendu une minute ou deux, puis on s'est enfin décidés à sortir de notre planque.

Je suis retourné m'asseoir, le type lui a préféré rester debout. Il paraissait complètement défait. J'ai pensé en moi-même, la philosophie je ne sais pas ce que c'est, en tout cas une chose est sûre, ça ne sert pas à vous ôter la trouille du corps, ça serait même plutôt le contraire. On l'a échappé belle, a-t-il dit, ce mec-là, il serait capable de nous descendre. Pourquoi, tu le connais? ai-je demandé. Moi? a-t-il fait. Non, je disais ça ainsi, mais tu as vu cette tronche? Il continuait à parler à voix basse, comme si le gars était toujours caché quelque part et qu'il allait ressurgir de derrière une épave pour nous régler notre compte. Eh ben quoi, ai-je dit, c'est un ferrailleur, son boulot c'est de démolir des voitures, il n'y a pas de raison qu'il ressemble à James Dean. Mais le type n'était toujours pas rassuré, il marchait de long en large tout en jetant des regards inquiets vers la grille. Allez, assieds-toi et ne te tracasse pas, ai-je dit. Si tu veux mon avis, il ne va pas revenir de sitôt. Sers-nous plutôt à boire, ça nous donnera du cœur au ventre.

Le problème, c'est que la bouteille était vide, même en la tordant il n'en serait plus sorti une seule goutte. Il était maintenant presque dix heures du soir et le type semblait de nouveau s'accrocher à la vie, ça risquait de prendre encore du temps pour l'y faire renoncer, et la perspective de rester ici sans rien à boire me consternait d'avance. À moins que le type, avec son imperméable à poches multiples, ne nous en sorte une autre comme par enchantement. Alors, devinez ce qu'il a fait? Il a plongé dans une des poches en question et en a ramené une autre bouteille, qui était la sœur jumelle de la première, sauf que celle-ci était pleine. J'en suis resté complètement paf. Il suffisait de penser à quelque chose pour que ça se réalise, dans le genre c'était presque aussi fort qu'Aladin et sa lampe magique. Ajoutez-y l'endroit sinistre, les hurlements des chiens, les épaves empilées pareilles à des cercueils, il y avait là de quoi impressionner les plus braves. J'imaginais déjà les conducteurs morts surgissant des carcasses de voitures éventrées, puis se mettant à marcher vers nous en rangs serrés, les vêtements en lambeaux, les corps en train de pourrir, les visages couverts de cicatrices, comme dans le clip de Michael Jackson.

Le type a rempli nos gobelets, il tremblait tellement qu'il en a mis la moitié à côté. Un fameux soldat, le type. J'ai compris pourquoi il avait fait appel à moi pour se suicider. Parce que s'il avait dû le faire seul, à voir comment il sucrait les fraises, il y avait toutes les chances qu'il se rate. Il s'est finalement rassis et on est restés silencieux devant le feu éteint. Il y a eu une éclaircie dans les nuages, la lune est apparue un moment toute jaune, on aurait dit un œil crevé suspendu au-dessus de nous. Tu sais quoi? ai-je dit. Il a secoué la tête. Il paraît qu'elle rétrécit. De quoi parles-tu? a-t-il demandé. De ma bite, ai-je répondu. Mais non, pas de ma bite, de la lune. Il paraît qu'elle se ratatine comme une vieille pomme. Bientôt, à la place d'un croissant, on aura droit à un trognon. Dommage qu'on ne sera plus là pour le voir. Surtout toi, d'ailleurs. Le type n'a pas relevé l'allusion, il s'est contenté de hausser les épaules. Où en étions-nous? a-t-il demandé. Tu t'apprêtais à me parler du deuxième point, ai-je répondu. Ah oui, a-t-il fait, le deuxième point, c'est ça. Le deuxième point. Mais au lieu de continuer, il s'est tu en fronçant les sourcils. Bouge pas, ça va me revenir, c'est juste que – ouh là, ça me fait mal. Comme une sorte de – de pointe. Il a montré l'endroit de son cœur. Ce n'est rien, ai-je dit, c'est le stress, ça va passer. Oui, tu as raison, a-t-il dit, ce n'est sans doute rien – ah, ouh, la vache. Il se tenait la poitrine avec la main, une expression de douleur est apparue sur son visage, pour le coup il avait vraiment l'air de souffrir. Ou alors il était encore en train de faire semblant, maintenant avec lui je m'attendais à tout. C'est pourquoi je n'ai plus rien dit, je n'avais pas envie de le plaindre pour qu'après il m'explique en rigolant qu'il n'avait rien, que c'était encore une de ses excellentes plaisanteries dont il avait le secret.

Au bout de quelques minutes, il a retiré la main de sa poitrine et la crispation a disparu peu à peu de son visage. Ça va mieux, a-t-il dit d'une voix enrouée. De quoi parlions-nous déjà ? De cette histoire de presse, ai-je dit pour réamorcer la pompe. Tu y penses toujours sérieusement ? Tu as vraiment décidé de disparaître de cette façon horrible ? Oui, a-t-il répondu, évidemment. Évidemment, ai-je répété. Eh bien, permets-moi de te le dire, mais moi je ne trouve pas ça évident du tout. Il y a des moyens beaucoup plus simple de faire ce genre de choses. On pouvait tout arranger par téléphone : on se mettait d'accord sur les conditions, on se donnait rendez-vous quelque part, les endroits discrets ce n'est pas ça qui manque. Un terrain vague, une maison abandonnée, une aire d'autoroute déserte, ou même simplement chez toi. Hein, pourquoi est-ce qu'on n'a pas fait ça chez toi ? Peut-être que c'est à cause des voisins, tu avais peur qu'ils entendent le coup de feu ? Mais ce n'était pas un problème, juste un bout de tuyau à rajouter au flingue, ça n'aurait pas fait plus de bruit qu'un bouchon de champagne, et les voisins se seraient dit, à supposer qu'ils se soient dit quelque chose, tiens il y a le voisin qui fait la fête, ou tiens il y a le voisin qui regarde un film de gangsters, l'instant d'après ils auraient cessé d'y faire attention, et à l'heure qu'il est l'affaire serait réglée depuis longtemps.

Le type m'écoutait en silence, il faisait aller sa tête tantôt sur le côté, tantôt d'avant en arrière, comme s'il s'étonnait de la sentir encore sur ses épaules. Seulement, ai-je continué, ça ne s'est pas passé ainsi. Tu as voulu qu'on se rencontre, qu'on vienne dans cet endroit, qui n'est pas n'importe quel endroit, ça tu dois le reconnaître. Quand je suis arrivé ici, tu sais à quoi ça m'a fait penser? À un décor de théâtre. À un putain de décor de théâtre. Et nous on est comme deux acteurs, deux mauvais acteurs dans une mauvaise pièce. Un spectacle à guichets fermés, rien que pour toi et moi, et quelques dizaines de rats à la place du public. Pas besoin de régisseur, ni de décorateur, ni d'éclairagiste, tout était installé avant qu'on arrive. Ça me rappelle quand j'étais jeune, j'ai eu une petite amie qui faisait du théâtre. J'en étais bleu, alors parfois je donnais un coup de main, j'aidais à porter les caisses, j'installais les décors, je m'occupais des éclairages, tous les trucs où il fallait des gants, c'était moi qui me les coltinais. Jusqu'au jour où elle m'a laissé tomber pour un des comédiens, un beau gosse qui jouait le rôle principal, à compter de ce jour-là je ne suis plus jamais entré dans un théâtre.

Je me suis tu, j'étais en train de m'égarer, ce n'était pas le moment de déballer mes histoires personnelles. Ce que je voulais dire, ai-je repris au bout d'un moment, c'est qu'en nous faisant venir dans cet endroit, c'est comme si tu avais voulu marquer le coup. Les voitures c'est ta partie, tu as vécu toute ta vie dans les voitures, et tu veux aussi finir dans les voitures, c'est une façon de boucler la boucle. Un peu comme un soldat qui se ferait enterrer sur le champ de bataille, sauf que toi ton champ de bataille c'est un cimetière d'épaves, et ton cercueil une carcasse de bagnole. Et si tu as imaginé cette mise en scène, c'est pour que tu ne sois pas seul avec ta mort, pour que tu la partages avec quelqu'un d'autre, qu'il y ait quelqu'un non pas pour la raconter, parce que ça il vaudrait mieux pas, mais au moins pour s'en souvenir. Seulement, si ce que tu veux c'est disparaître sans laisser de trace, laisse-moi te dire que tu n'as pas choisi le bon moyen. Par exemple, imagine que la grue, je n'arrive pas à m'en servir. Je suis obligé de te laisser là, installé à la place du conducteur, et demain quand le gars s'amène, il inspecte l'épave et qu'est-ce qu'il trouve? un macchabée. Le gars se dit, il a l'air tranquille, ne le dérangeons pas, laissons-le un peu dormir, après tout il ne fait de mal à personne, et il passe à la suivante. Non, sans blague, tu imagines un peu le topo? Eh, je te parle. Excuse-moi, a-t-il fait, j'étais en train de penser à autre chose. Qu'est-ce que tu disais ? Je disais, ai-je répondu, que si je n'arrivais pas à – oh, et puis merde, j'arrête de parler avec toi, ras le bol de cette conversation. Après tout, ce que tu vas devenir, c'est ton problème, pas le mien.

C'était tout à fait absurde, cette discussion. Je pensais, voilà un type qui a décidé de mourir, qui veut en finir avec la vie parce qu'elle est trop compliquée, et le moment venu il s'arrange pour se la compliquer encore un peu plus. Et le plus stupéfiant de l'affaire, c'est qu'il n'a pas vraiment l'air de s'en rendre compte. Dans quelques minutes, il ne sera plus qu'un morceau de viande allongé par terre, et il se comporte comme s'il n'allait pas vraiment disparaître, comme s'il allait continuer à voir les choses avec son regard de maintenant. Ça m'a donné à réfléchir sur la façon dont les gens, même des gens intelligents comme lui, pensent à leur mort. On dirait qu'ils ne savent plus quoi en faire, que c'est devenu quelque chose d'incompréhensible, pareil qu'un appareil électroménager dont on a perdu le mode d'emploi. Alors ils inventent toutes sortes de trucs pour faire passer la pilule, et pour ça toutes les idées sont bonnes, même les plus saugrenues, comme ces gens qui se font customiser leur cercueil.

Je me suis servi un autre verre de gin, et comme le type ne disait toujours rien, j'ai continué à suivre le fil de mes pensées. Je me suis souvenu d'un autre détail, une chose que le type avait dite et que j'avais enregistrée au passage, puis qui m'était sortie de la tête. Quand j'étais occupé à taper sur l'épave, après l'épisode des balles à blanc, il s'était emporté, m'avait hurlé de ne pas toucher à celle-là, que si je voulais me passer les nerfs, je n'avais qu'à en choisir une autre. À bien y réfléchir, c'était une réaction plutôt bizarre. Qu'est-ce que cette voiture avait de spécial pour qu'il m'interdise d'y toucher? Je me rappelais la colère qu'il y avait dans sa voix, comme si je commettais un sacrilège, ou pour dire l'image qui m'est venue, comme si j'étais en train de saccager une sépulture. J'avais beau chercher une explication, je n'en voyais pas de satisfaisante. Alors j'ai posé la question au type. Du coup, il est sorti de sa torpeur et m'a regardé droit dans les yeux. Tu tiens vraiment à le savoir? a-t-il dit. J'ai eu un léger sursaut. Avant même d'entendre sa réponse, j'ai regretté de lui avoir posé la question. J'avais le pressentiment très net d'avoir mis le doigt où il ne fallait pas, d'avoir déclenché un engrenage qui pouvait se transformer en machine infernale.

Le type s'est d'abord allumé une cigarette, puis il a sorti son portefeuille de sa poche et en a extrait un papier plié en quatre. Il l'a ouvert lentement, d'une main qui tremblait un peu, et me l'a tendu sans un mot. C'était une coupure de journal, avec un titre et une photo

sur deux colonnes : «Accident mortel au viaduc de Virelles». Mon attention a d'abord été attirée par la photo. On y voyait une voiture de couleur sombre retournée sur le toit, l'avant replié presque à hauteur du pare-brise, une portière arrachée gisant sur le sol. Elle était tellement mal en point qu'il n'était pas facile de dire la marque. D'après les enjoliveurs et d'autres détails de la carrosserie, il m'a semblé reconnaître un modèle Mercedes relativement récent. J'ai aussitôt pensé qu'il s'agissait d'une voiture semblable à l'épave de la casse. J'ai commencé à lire l'article, sous le regard du type qui ne me quittait pas des yeux, comme s'il ne voulait rien perdre de mes réactions.

«Samedi 9 novembre, aux environs de 8 h 20, une voiture de marque Mercedes, conduite par Melle Aurélie T., 23 ans, a brusquement dévié de sa trajectoire, pour une raison encore indéterminée, à hauteur du viaduc de Virelles. Il semble que le véhicule ait percuté le rail de sécurité, d'où il a été renvoyé vers le muret central de la voie rapide. Après avoir effectué plusieurs tonneaux, il est passé par-dessus le rail et a terminé sa course 5 à 6 mètres en contrebas. La conductrice, qui vivait encore au moment de l'arrivée des secours, a succombé à ses blessures peu après son admission à l'hôpital le plus proche.

Selon les premiers éléments de l'enquête, la voiture conduite par Melle T. roulait à une vitesse sensiblement supérieure à celle autorisée, limitée à cet endroit à 40 km/h. Le viaduc de Virelles présente une courbe située dans le prolongement d'une descente en forte déclivité, atteignant 7,5 % au maximum de la pente. Bien que signalé par de nombreux panneaux et balises clignotantes, l'endroit est connu pour sa dangerosité et on y déplore chaque année plusieurs accidents graves. La visibilité médiocre, en raison du brouillard persistant et de la fine pluie qui tombait ce matin-là, peut également expliquer la perte de contrôle du véhicule.

Melle T., qui exerçait la profession de lectrice de français à l'université de Mannheim, en Allemagne, empruntait cet itinéraire deux fois par mois et ne pouvait donc en ignorer les risques. Au moment du drame, elle venait de passer les congés de Toussaint chez son père, M. Philippe T., expert automobile, et s'apprêtait à rejoindre son lieu de travail. D'après les informations que nous avons pu recueillir, il semble que Melle T. ait eu la veille avec son père une violente altercation, qui a commencé au domicile de celui-ci et s'est poursuivie sur la voie publique. C'est en tout cas ce qui ressort du témoignage d'un voisin qui a souhaité garder l'anonymat. L'homme aurait d'ailleurs été sur le point d'en avertir la police avant de se raviser, la dispute ayant pris fin entre-temps.

Interrogé par nous, M. Philippe T. nie avoir eu avec sa fille autre chose qu'une « simple discussion ». Il exclut par ailleurs catégoriquement que celle-ci, très bonne conductrice selon lui, ait pu avoir une conduite imprudente ou commettre une fausse manœuvre, en particulier à cet endroit qu'elle connaissait bien. Lorsque nous lui avons demandé à quoi il attribuait l'accident, il s'est refusé à tout autre commentaire, disant qu'il appartenait aux enquêteurs et aux experts d'en déterminer la ou les causes exactes. »

13

Quand je lui ai rendu l'article, j'avais à mon tour la main qui tremblait. Un long moment s'est écoulé sans qu'on échange une parole. Toutes mes condoléances, ai-je dit, après avoir vainement cherché une formule moins convenue. Je suis désolé, je ne pouvais pas savoir. Comme le type restait sans réaction, j'ai senti qu'il fallait que j'ajoute quelque chose, une manière de lui manifester ma sympathie face à ce drame épouvantable. C'est quoi, cette histoire de dispute ? ai-je demandé. Des commérages, a-t-il répondu. Le voisin en question est une espèce de cafard, un maniaque qui passe sa vie derrière ses rideaux, à surveiller tout ce qui se passe dans la rue. Il ne supporte pas qu'on vienne se garer devant sa haie, de peur qu'on l'abîme. Quand malgré tout quelqu'un a le malheur de le faire, il attrape son téléphone et il appelle les flics. Tu veux dire que la dispute, c'est une invention à lui ? ai-je demandé. Un truc qu'il a trouvé parce qu'il s'embête, et pour embêter les autres par la même occasion ? Non, a répondu le type, la dispute a bien eu lieu, je ne prétends pas le contraire. Mais il n'y a pas eu d'altercation violente, comme il est écrit dans le journal, seulement une discussion un peu vive. Il s'est allumé une autre cigarette et a tiré une longue bouffée dessus, puis m'en a proposé une que je me suis empressé d'accepter. Voici comment les choses se sont passées, a-t-il dit. C'est une histoire à la fois banale et sordide. Là-bas, à Mannheim, ma fille avait un petit ami. Un certain Güner, un Turc de la deuxième génération, très bien intégré dans la société allemande. Il n'empêche que ce Güner avait envers les femmes une attitude tout à fait machiste. Il ne travaillait pas, vivait plus ou moins aux crochets de ma fille et semblait trouver cela parfaitement normal. Il se droguait, des drogues dures genre héroïne, je crois qu'il dealait un peu aussi, bien que je n'en aie jamais eu la certitude, parce qu'Aurélie s'arrangeait toujours pour le couvrir. Quand il était en manque, il n'hésitait pas à lui voler de l'argent, et ce qui est plus grave, à la frapper. Un jour, en arrivant ici, elle avait un coup sur la pommette, elle a prétendu qu'elle se l'était fait elle-même, puis en insistant j'ai fini par connaître la vérité. Je lui ai dit que ça ne pouvait pas continuer ainsi, qu'elle devait cesser de le voir avant que les choses n'aillent trop loin. Mais c'était peine perdue, elle avait ce garçon dans la peau, Aurélie était très autonome par certains côtés, et par d'autres terriblement fragile et dépendante.

Le type a sorti une photographie de son portefeuille. On l'y voyait en compagnie d'une jeune femme aux longs cheveux blonds. Tous deux souriaient, ils avaient l'air heureux d'être ensemble, la main du type était posée sur l'épaule de sa fille. Elle avait un beau visage, des traits délicats. On sentait quelqu'un d'ouvert, de confiant, peut-être trop confiant, peut-être un peu mystique. Elle est très jolie, ai-je dit en lui rendant la photo, puis j'ai corrigé maladroitement : enfin, elle était, excuse-moi. La dernière fois qu'elle est venue, a repris le type, c'était pour les congés de Toussaint. Le soir précédant son retour, elle m'a appris qu'elle était enceinte. C'était une bonne et une mauvaise nouvelle. J'étais heureux qu'elle attende un enfant, mais j'aurais préféré que ce soit d'un autre homme. Elle a ajouté que Güner n'en voulait pas, qu'il exigeait qu'elle se fasse avorter. Quand j'ai entendu ça, je suis entré dans une colère noire, je lui ai dit qu'elle ne pouvait pas faire une chose pareille, sauf bien sûr si elle-même le souhaitait. Je l'ai prise par les épaules, j'ai essayé de me calmer et de me raisonner, de nous raisonner tous les deux. Toi, lui ai-je demandé, qu'est-ce que tu veux, *toi*? Le garder, a-t-elle répondu. Alors, tu le gardes. Güner ou pas Güner, c'est ton enfant, et tu vas le garder. Demain, je t'accompagne à Mannheim et je vais discuter avec ton ami, je crois qu'il a besoin que quelqu'un lui remette les idées en place. À ces mots, elle a fondu en larmes. Non, papa, n'y va pas, je t'en supplie. Et pourquoi? Parce que – avec lui, je ne sais pas, il est capable de tout. Qu'est-ce que tu me racontes là? De quoi est-il capable? De nous faire du mal. À ce moment, j'ai compris qu'elle était vraiment sous sa coupe, qu'elle était prête à tout pour lui, il lui aurait demandé de faire le trottoir, je suis persuadé qu'elle l'aurait fait. Tu comprends, ce n'est pas parce qu'il est turc, je n'ai rien du tout contre les Turcs, ils sont deux ou trois millions en Allemagne et la plupart du temps il n'y a aucun problème, il a juste fallu qu'elle tire le mauvais numéro.

Le type a fait une pause. Il s'exprimait d'une voix qui se voulait froide et distante, mais je sentais bien qu'il devait faire des efforts pour se maîtriser. Finalement, c'est moi qui ai repris la parole, je lui ai demandé s'il avait vu ce Güner. Non, a-t-il répondu, je ne sais même pas à quoi il ressemble. Quand Aurélie est morte, il n'est pas venu à l'enterrement, n'a pas écrit un mot, pas téléphoné, rien. Les fois où j'allais la voir à Mannheim, tous les deux mois environ, il n'était pas là, il n'y avait pas de photo de lui, aucun objet qui rappelle sa présence. Je ne lui posais pas de questions, Aurélie a toujours été d'un naturel très discret, et moi je ne voulais pas me mêler de sa vie amoureuse. Mais le jour où elle m'a dit qu'il pouvait être dangereux, je n'ai pas supporté l'idée qu'il s'en prenne à elle. Aurélie, ma petite fille, lui ai-je dit, tu vas laisser tomber ce type immédiatement. Je ne peux pas, a-t-elle répondu, là-bas j'ai mon boulot, mon appartement, comment veux-tu que je fasse ? Profitant de ce que j'avais le dos tourné, elle a attrapé son sac et a voulu reprendre la route, alors que la nuit était tombée et qu'il pleuvait des cordes. La discussion s'est poursuivie sur le trottoir, c'est à ce moment que le cafard nous a vus. Cela n'a duré que quelques minutes, je lui ai dit que je n'étais pas d'accord qu'elle parte, qu'il était hors de question qu'elle voyage par ce temps, puis le ton s'est radouci et on est rentrés dans la maison, elle a pleuré longuement dans mes bras. J'ignore si elle a pris des somnifères, toujours est-il que le lendemain elle avait bien dormi et semblait dans un état normal. Je lui ai quand même demandé si elle ne voulait pas que je la conduise à Mannheim, je pourrais en profiter pour voir Güner, avoir avec lui une discussion entre hommes, je l'ai assurée que tout se passerait bien, mais elle a refusé. Alors je lui ai fait promettre de garder l'enfant, et aussi de laisser son téléphone portable ouvert, afin que je puisse l'appeler au moins une fois par jour. Et là-dessus elle est repartie. Bon sang, pourquoi je l'ai laissée partir ? Pourquoi je n'ai pas insisté pour qu'elle reste, ou pour qu'elle accepte que je la conduise ? Pourquoi, pourquoi, *pourquoi* ?

Le type a enfoui son visage dans ses mains et s'est mis à sangloter. Je suis allé m'asseoir à côté de lui et j'ai posé la main sur son bras, ça me fendait le cœur de le voir aussi malheureux. Ce qui est arrivé, ce n'est pas ta faute,

ai-je dit. C'est la vie, c'est le hasard, c'est la malchance, personne n'y peut rien. Arrête tes conneries, a-t-il hurlé en dégageant son bras. La malchance n'a rien à faire là-dedans, absolument rien. Brusquement il s'est levé et il a donné un coup de pied dans le feu, tout le tas de bois s'est effondré en grésillant. Il est allé marcher un peu à l'écart pour se calmer les nerfs. Quand il s'est trouvé à une dizaine de mètres, je me suis dit qu'il fallait que je songe à filer en douce. Je reconnais que ce n'était pas très élégant de ma part, surtout après ce qu'il venait de me raconter sur sa fille, mais je n'étais pas du tout rassuré par la tournure que prenait la discussion. Cette histoire de voiture et d'accident me rappelait de mauvais souvenirs, pas seulement à cause de ce qui m'était arrivé le soir où j'avais renversé une jeune femme. Tout à l'heure, j'avais raconté au type ma dispute avec Fauconnier, et comment je m'étais pour ainsi dire foutu à la porte moi-même, après qu'il me soit tombé dessus sous prétexte que je lui avais volé des bougies. Or, ça m'était tout à coup revenu en mémoire, la voiture sur laquelle je travaillais au moment où ça s'était produit, c'était justement une Mercedes, un modèle d'il y a quelques années, pareille à celle que montrait la photo du journal. Pire encore, pareille à celle de la casse, au point que dans les trois cas, il pouvait fort bien s'agir de la même. C'était difficile à dire précisément, car la photo présentait la voiture sur le toit, alors qu'ici elle avait été remise sur ses roues. Pour en avoir la certitude, il aurait fallu que le type me rende la photo et que je la compare attentivement avec l'épave, ce qui bien sûr était exclu. Et même ainsi, je ne suis pas sûr que je serais arrivé à trancher.

Quoi qu'il en soit, du simple fait qu'il puisse y avoir une relation, j'ai commencé à sentir des sueurs froides dans tout le corps. Je tentais de me persuader que ce n'était pas possible, que ç'aurait vraiment été une coïncidence extraordinaire : je répondais à une petite annonce dans le journal, je tombais sur un type que je n'avais jamais vu de ma vie, ou qu'au mieux j'avais aperçu l'une ou l'autre fois par hasard, ce qui n'avait rien d'impossible étant donné son métier et le mien, et voilà que ce type était peut-être le père de la jeune femme dont j'avais entretenu la voiture. J'ai essayé de me souvenir si j'avais rencontré cette Aurélie, si je lui avais parlé lorsqu'elle avait amené la Mercedes au garage, mais son visage ne me disait absolument rien, j'étais sûr de ne pas l'avoir vue avant. Si je l'avais vue, je ne l'aurais pas oubliée aussi vite, une jolie fille ça ne vous laisse pas de marbre, et puis les autres n'auraient pas manqué de me charrier, de me sortir une vanne du genre, sacré Polo, t'en as de la veine, quand il vient une jolie nana, c'est toujours sur toi que ça tombe. Mais alors, si ce n'était pas elle, ça ne pouvait être que le type lui-même – arrivé à ce point, mes idées ont commencé à se brouiller, j'ai pensé que le mieux était de foutre le camp et de me cacher quelque part en attendant que le type soit parti.

Sauf que lui ne l'entendait pas de cette oreille. J'ai eu à nouveau l'impression déplaisante qu'il devinait mes pensées, comme si elles avaient circulé quelque part dans l'atmosphère, et qu'il arrivait à les capter avec une antenne miniature greffée dans son cerveau. Où vas-tu? a-t-il demandé, à peine m'étais-je éloigné de deux ou trois mètres. Ne t'avise pas de me fausser compagnie, toi et moi on a encore des choses à se dire. De quelles choses parles-tu? ai-je fait, pas plus rassuré que ça. Il m'a obligé à me rasseoir, puis il a continué à me parler, tout en faisant les cent pas autour du feu et en remuant les braises froides du bout de sa chaussure. Au moment où l'accident a eu lieu, a-t-il dit, je me trouvais en déplacement. Le temps que je rentre, Aurélie avait été transportée au CHU. Elle est morte pendant le trajet, je l'ai trouvée à la morgue de l'hôpital. L'infirmier de service ne m'a laissé voir que son visage. C'était horrible, horrible.

Il a secoué la tête, s'est mordu les lèvres. Il lui a fallu un bon moment pour se ressaisir. J'en ai profité pour regarder discrètement ma montre. Il était minuit et demie. Je me suis demandé quand tout cela allait finir. Après cela, a continué le type, il y a eu la visite de la police et de la compagnie d'assurances, puis les funérailles, les formalités à accomplir, les démarches administratives, et ainsi de suite. J'ai tenu le coup trois jours, dans une sorte d'état second, le temps que tout ça soit terminé. Intérieurement, j'étais complètement détruit. Je n'arrivais plus à trouver le sommeil, je n'arrêtais pas de ressasser mes idées noires, de faire défiler en boucle dans ma tête le film des événements. Sitôt l'enterrement fini, je me suis terré chez moi, je ne répondais plus au téléphone, je ne me levais plus pour ouvrir la porte. Cela a duré une semaine. Alors j'ai pris ma voiture et je me suis mis à rouler. Je suis allé jusqu'à Mannheim, où j'ai récupéré les affaires d'Aurélie et liquidé son appartement. J'ai repris la route, d'abord j'ai roulé sans destination précise, puis je me suis mis à visiter les endroits où Aurélie et moi avions été ensemble. Je ne faisais qu'y passer, je ne m'y attardais pas plus de quelques minutes, j'avais bien assez de la route pour me souvenir. J'ai sillonné ainsi une bonne partie de l'Europe, plusieurs milliers de kilomètres avalés presque d'une traite, m'arrêtant seulement pour dormir et repartant avant le lever du jour. Lorsque je suis rentré, j'étais au bord de l'épuisement, mais le voyage m'avait fait du bien, j'ai pu retrouver un semblant de calme, reprendre pied peu à peu dans la réalité. Une chose m'est apparue, que j'avais totalement occultée jusque-là. Au moment où l'expert désigné par la compagnie d'assurances m'avait proposé d'aller voir l'épave, je n'avais pas donné suite à son invitation. J'aurais dû aller sur place, examiner l'état du véhicule, faire ce que je fais d'habitude. Mais j'en avais été incapable, c'était plus fort que moi. C'est seulement à mon retour que j'ai commencé à réfléchir à ce qui s'était réellement passé. La première chose anormale que j'ai découverte, c'est que l'épave de la Mercedes avait disparu. En principe, dans des cas de ce genre, lorsqu'il y a un doute sur les causes de l'accident, les flics gardent le véhicule à la fourrière pour les besoins de l'enquête. L'enquête, justement. Quand j'ai voulu savoir où elle en était, on m'a répondu qu'elle était terminée. On, c'est-à-dire Delmarcelle, un inspecteur aux portes de la retraite, un de ces flics formés à la vieille école, bourru, paternaliste et faussement compréhensif. Ses investigations l'avaient amené à penser que l'accident était dû à la conduite irresponsable de ma fille. Selon lui elle roulait trop vite, près de cent kilomètres à l'heure, soit deux fois et demie la vitesse autorisée, et dans des conditions de visibilité médiocres. Il avait demandé qu'une autopsie soit pratiquée. Oui, une autopsie. Je sais que c'est la loi, quand quelqu'un meurt sur la voie publique, n'empêche qu'imaginer le corps de ma petite fille livré aux mains d'une espèce de charognard, c'était quelque chose de proprement insupportable – chaque fois que j'y repense, j'ai envie d'étrangler ce salaud. Des traces de somnifère avaient été retrouvées dans son estomac. Des traces de somnifère et, c'est cela qui me fait le plus mal, aussi des traces de drogue. Or elle était chez moi depuis une semaine, ce qui veut dire qu'elle en prenait à mon insu, qu'elle était devenue dépendante au point de ne plus pouvoir s'en passer. En recoupant ces informations avec le témoignage du voisin sur notre dispute, et en omettant de tenir compte du mien, l'enquête était arrivée à la conclusion qu'Aurélie s'était endormie au volant. L'affaire avait été bouclée, il faudrait plutôt dire bâclée, en un temps record. Quant à l'épave, d'après ce que j'ai compris, elle avait purement et simplement disparu, sans même que le parquet en soit avisé.

Le type s'est arrêté quelques instants pour s'allumer une cigarette. À mesure qu'il avançait dans ses explications, je voyais de plus en plus clairement où il voulait en venir, et quelque chose me disait que j'avais intérêt à ne pas trop me manifester. Bien entendu, a-t-il repris, je n'ai pas cru un traître mot de cette histoire. Je me suis adressé à un détective avec qui j'avais déjà travaillé, parce que je ne me sentais pas le courage de mener la contre-enquête moi-même, et que par ailleurs mon intervention aurait été tout sauf discrète, je connaissais le patron pour l'avoir rencontré lors de différentes expertises. Le détective s'est fait passer pour le compagnon d'Aurélie et m'a remis son rapport moins d'une semaine plus tard. En discutant avec tes anciens collègues, les mécanos du garage Fauconnier, il a pu établir les points suivants. Premièrement, l'entretien de la Mercedes de ma fille – qui m'avait d'abord appartenu et que je lui avais offerte pour ses vingt-trois ans – avait été fait par le dénommé Jean-Paul M., mieux connu sous le diminutif de Polo. Deuxièmement, alors que ce Polo travaillait sur le véhicule, une dispute avait éclaté entre lui et le patron, motivée semble-t-il par le fait que celui-ci lui reprochait sa lenteur (et non, comme tu l'as affirmé, un prétendu vol de bougies). Troisièmement, que ce reproche ait été fondé ou non, chose dont il ne m'appartient pas de juger, à la suite de ce différend qui n'était pas le premier entre vous, tu as laissé le travail en rade et signifié à ton patron que désormais, il devrait se passer de tes services. Quatrièmement – s'il te plaît, ne m'interromps pas, tu auras tout le temps de parler après, même si on doit y passer la nuit. Quatrièmement, disais-je, et seul ce point, essentiel à mes yeux, n'a pas pu être précisé avec certitude, à la suite de ton coup de tête, l'entretien a été repris par Freddy R., qui se rappelle avoir remplacé les vis platinées et mis de l'antigel dans le moteur, mais qui par contre a nié formellement s'être occupé des freins. Il s'est procuré le bordereau d'entretien auprès de la secrétaire, où il est en effet apparu que rien n'était mentionné en regard de ce poste. Mais il n'a pas exclu que ce travail ait pu être effectué par toi, complètement ou incomplètement, c'est bien là toute la question. Je vais y revenir dans un instant, d'abord j'en termine avec le rapport du détective. Il a également cherché à savoir ce qu'il était advenu de la Mercedes après l'accident. Il a appris que l'épave avait été enlevée – comme le hasard fait bien les choses – par la dépanneuse du garage Fauconnier, et qu'elle avait séjourné là-bas pendant un jour ou deux, le temps nécessaire à la police pour faire les constatations d'usage, après quoi elle avait été conduite à la casse de Pierre D., mieux connu sous le nom de Pierrot – autrement dit à l'endroit où nous nous trouvons en ce moment même. Ce qui constitue une infraction manifeste aux règles de la procédure. Au demeurant, je ne m'en suis pas plus étonné que ça, le cours de la justice est plein d'anomalies de ce genre, il suffit d'un flic qui décide de passer outre à ses prérogatives, d'un juge un peu trop laxiste ou trop complaisant, et des pièces essentielles du dossier disparaissent sans que personne y prenne garde. Le détective s'y est rendu en prétextant qu'il cherchait des pièces pour sa Mercedes accidentée. Le démolisseur a commencé par lui répondre qu'il voyait rarement passer des Mercedes, qu'à sa connaissance il n'en avait pas rentré récemment. Puis il s'est ravisé et lui a dit qu'il ne travaillait pas seul, qu'il n'était pas au courant de tout ce qui passait, qu'il était possible que son fils en ait ramené une sans qu'il le sache. À ce moment, il a prétendu être occupé avec un client et a proposé au détective d'aller voir lui-même, que dans le tas il trouverait peut-être son bonheur. Et de fait, le détective a repéré, dans un coin un peu à l'écart du site, une Mercedes dont il a pu prendre quelques photos. À n'en pas douter, c'était bien la voiture de ma fille, ou du moins ce qu'il en restait.

Il a fait une nouvelle pause, le temps de s'allumer une cigarette. Tout en fumant, il se passait les doigts dans la barbe d'un geste machinal, comme s'il cherchait à la faire pousser plus vite – j'ai été frappé, je ne sais pas pourquoi, par les longs poils noirs sur ses phalanges, dissimulant presque l'alliance qu'il continuait de porter. L'attitude du démolisseur, telle que me l'a décrite le détective, a-t-il repris, m'est immédiatement apparue suspecte. Pourquoi avait-il commencé par lui dire qu'il n'avait pas de Mercedes, avant de se raviser et de le laisser fouiner à sa guise? Je connais un peu Pierrot, le démolisseur en question – un drôle de coco entre parenthèses. Pour avoir traité quelquefois avec lui, je peux te dire que ce n'est pas du tout son genre de laisser les clients se balader chez lui comme dans un self-service. Si tu regardes autour de toi, ça a l'air d'un foutoir pas possible, mais il sait tout ce qui s'y trouve et à quel endroit ça se trouve, il est capable de mettre instantanément la main sur le moindre bouchon de radiateur. C'est quelqu'un qui a l'œil à tout, qui ne te lâche pas d'une semelle, qui n'a pas son pareil pour te tirer les vers du nez. Il veut savoir qui tu es, ce que tu fais, où tu habites, où tu as acheté ta voiture, comment tu as eu ton accident, etc., etc. L'air de rien, il te cuisine si habilement que quand il a fini, il sait sur ton compte dix fois plus de choses que tu ne voulais lui en dire. Avec ses airs d'ours mal léché, il a beau ne jamais mettre le pied hors de sa tanière, il est au courant de tout ce qui se passe vingt kilomètres à la ronde. Donc, si le détective a pu fouiller à son aise, ce n'est pas parce que Pierrot était occupé avec un client, mais bien parce qu'il avait décidé de le laisser faire. Pour aller au bout de ma pensée, parce qu'il voulait que le détective trouve la Mercedes. Ou plus exactement, que par son intermédiaire, moi je trouve la Mercedes – en raison de divers éléments dont je te fais grâce, j'étais sûr que Pierrot avait repéré le détective et savait pour le compte de qui il agissait. Et pourquoi voulait-il que je la trouve, me diras-tu ? Bonne question, j'étais sûr que tu me la poserais. Accroche-toi, c'est ici que les choses se corsent.

Nouvelle pause, nouvelle cigarette allumée à la précédente – la vingtième au moins depuis qu'on était là. J'ai hésité longuement avant de me décider, a-t-il poursuivi. Comme je te l'ai raconté, je n'avais pas encore vu l'épave, j'avais peur de ce que j'allais découvrir. D'un autre côté, si je voulais en avoir le cœur net, il fallait que je me rende moi-même sur place. C'est ce à quoi je me suis finalement résolu. Sauf qu'au lieu d'y aller pendant la journée, j'ai préféré faire une visite nocturne, muni d'une lampe de poche et d'une trousse à outils. Comme je l'espérais et le redoutais à la fois, la Mercedes était bien celle de ma fille. Je ne te raconte pas le choc que ça m'a fait lorsque je l'ai découverte. Des voitures démolies, j'en ai vu des centaines, sans doute même des milliers, certaines encore bien plus amochées que celle-là. Seulement c'étaient celles d'inconnus, pas de la personne que vous chérissez entre toutes. Ici, ce que j'avais sous les yeux, c'étaient les tôles qui avaient broyé son corps, les traces du sang qui avait coulé dans ses veines – mais je ne veux pas parler de ça. Une fois surmontée mon aversion, la première chose que je pense à contrôler, c'est le réservoir contenant le liquide de freins. D'abord, il me faut dégager le capot, qui est replié sur le pare-brise. Et là, qu'est-ce que je découvre? Me croiras-tu si je te dis que le réservoir est vide? Tout à fait vide, plus une goutte dedans? Je t'invite à aller vérifier par toi-même. Non, ai-je dit, c'est inutile, je te fais confiance. Eh bien, tu as tort, a-t-il répondu. Il ne faut faire confiance à personne. Même pas à moi.

Je l'ai regardé d'un air stupéfait, me demandant ce qu'il allait encore me sortir de son chapeau. Mais il n'a pas continué tout de suite, sans doute pour me permettre de digérer l'information, et aussi pour me laisser mijoter un peu dans mon jus. Le type, il avait peut-être du mal à écrire, par contre quand il se mettait à raconter quelque chose, il faut reconnaître qu'il savait y faire. Avec l'imagination qu'il avait, et sa manière de ménager le suspense, il aurait plutôt dû s'essayer au roman, je suis certain qu'il aurait pu faire carrière dans le polar. Si j'avais eu l'occasion de lire son histoire dans un livre, je crois que j'aurais passé un excellent moment. L'ennui, c'est qu'ici l'histoire j'en faisais partie, et ça suffisait à me gâcher tout le plaisir, j'aurais voulu être au bout pour savoir comment elle finissait.

14

Viens avec moi, a dit le type. Je l'ai suivi en traînant les pieds jusqu'à l'épave de la Mercedes. J'aurais donné cher pour me trouver ailleurs, en n'importe quel endroit de la planète excepté celui-ci. Il a soulevé le capot qui s'est entrouvert en grinçant et a dirigé le faisceau de sa lampe vers le bocal contenant le liquide de freins. À mon grand soulagement, et je dois le dire à mon grand étonnement, il était rempli presque jusqu'en haut. Alors? a-t-il dit. Qu'est-ce que ça t'inspire? Ça m'inspire, ai-je répondu, que le réservoir est plein. Et donc je ne vois pas où est le problème. Vraiment, tu ne vois pas? a-t-il dit. Une voiture fait une chute de plusieurs mètres, elle a tout l'avant embouti, le moteur déformé, et ainsi de suite, par contre le réservoir contenant le liquide de freins est intact. Mais toi, qui es un spécialiste, tu ne vois pas où est le problème. Je ne sais pas moi, ai-je hasardé, il peut avoir résisté dans l'aventure, ce n'est pas tout à fait impossible. Les Mercedes, c'est du bon matériel, non? Je t'en prie, a-t-il répliqué sèchement, garde ton humour pour toi. Je peux t'assurer, pour en avoir vu pas mal, des voitures qui avaient reçu des chocs pareils, que les chances que le réservoir ait résisté sont à peu près nulles. Tous ceux que j'ai vus jusqu'ici étaient soit arrachés, soit défoncés, soit fendus. Or ici, rien de tout cela, pas la plus petite fissure. Conclusion? Excuse-moi, ai-je dit, je ne vois pas. Conclusion, on l'a remplacé, espèce d'andouille, a-t-il dit. On a mis un nouveau réservoir et on l'a rempli de liquide de freins. Et puis il y a autre chose. Concernant le liquide lui-même. Tu n'as pas une petite idée? Allez, cherche.

Je me suis approché du réservoir, j'ai enlevé la poussière qui le recouvrait, je l'ai secoué un peu pour la forme. Le liquide à l'intérieur était fluide et transparent, ce qui est son apparence normale. Le type est revenu avec sa question. Mais qu'est-ce qu'il voulait, bon Dieu? Que je goûte le liquide, que je le déguste comme dans une cave à vin, puis que je le recrache en disant pouah, mauvaise cuvée? Au risque de recevoir une nouvelle engueulade, je lui ai dit que je ne comprenais rien à ce qu'il me demandait. Alors, visiblement agacé par ma lenteur d'esprit, il s'est lancé dans des explications techniques. J'ai prélevé un échantillon du liquide, a-t-il dit, et je l'ai fait analyser en laboratoire. Les résultats ont été formels : le liquide n'avait jamais servi. Autrement dit, on s'est contenté de verser du liquide neuf dans le bocal. Or tu sais comme moi que quand une voiture roule, le liquide qui se trouve dans le circuit se mélange avec le liquide neuf, et que sa composition chimique se modifie. Entre l'endroit où j'habite et celui où a eu lieu l'accident, il y a environ deux kilomètres. Ce n'est pas beaucoup, mais c'est assez pour produire une altération, aussi minime soit-elle, du liquide de freins. À moins de soutenir qu'Aurélie a roulé deux kilomètres sans freiner, ce qui est rigoureusement impossible étant donné la configuration de la route. Tu commences à saisir, maintenant?

Pendant qu'il attendait ma réponse, le type s'est versé à boire. La deuxième bouteille était déjà bien entamée, il en avait bu la plus grande partie et paraissait encore parfaitement lucide, tout pareil que s'il avait carburé à l'eau minérale – je n'aurais pas pu en dire autant de moi. Non, ai-je fini par dire, pas tout à fait. Bon sang, a-t-il tempêté, tu le fais exprès ou quoi? Ça signifie qu'après avoir remplacé le récipient d'origine, on l'a rempli de liquide neuf pour faire croire que l'entretien avait été effectué normalement. Ensuite on a amené l'épave ici et on l'y a laissée traîner exprès, sachant que je chercherais à la voir à un moment ou à un autre. La seule chose qu'on n'a pas prévue, c'est que je viendrais en dehors des heures d'ouverture. Parce que si j'avais examiné l'épave en présence de Pierrot, je n'aurais pas pu faire le prélèvement et m'assurer que le liquide n'avait jamais servi. Et le garage n'aurait pas pu être accusé de négligence, CQFD.

Je n'ai pas réagi tout de suite. Je ne savais trop que penser de ses explications. Dans un sens, ça avait l'air de se tenir. Mais dans un autre sens, cette histoire de liquide qu'on remplace et d'épave qu'on laisse traîner, cela me paraissait plutôt tiré par les cheveux. Je sentais bien que quelque chose clochait, sans pouvoir mettre le doigt dessus. À quoi penses-tu? m'a-t-il demandé. Oh, à rien, ai-je dit, des trucs sans intérêt. Ça ne te change pas beaucoup, a-t-il fait, toujours en veine de compliments. Si ce que tu viens de dire est vrai, ai-je commencé, puis je me suis repris : étant donné ce que tu viens de dire, cela me met aussi hors de cause, si je ne me trompe? Ah oui, et pourquoi donc? a-t-il fait. Eh bien, ai-je répondu, s'il y avait du liquide dans le réservoir, c'est que l'entretien a été fait correctement, non? Nom de Dieu, a-t-il crié, tu es encore plus con que je ne le pensais. Je viens de t'expliquer en long et en large qu'il avait été remis après l'accident. Ça ne prouve rien quant à ce qui a été fait ou non avant l'accident. Justement, c'est à cela que je veux en venir. À ton rôle dans cette affaire. J'entends que tu m'expliques ce qui s'est passé le jour où tu t'es occupé de la voiture de ma fille. Et pour commencer, je te demande de répondre à cette question : as-tu ou n'as-tu pas remplacé le liquide de freins? Attends, ai-je dit, n'allons pas trop vite. Si je te suis bien, tu me soupçonnes d'avoir commis une négligence, de ne pas avoir remis du liquide de freins avant de quitter le garage? Je ne te soupçonne pas, a-t-il répliqué, je t'accuse, nuance. Et si tu m'accuses d'une telle négligence, ai-je continué, c'est parce que selon toi elle pourrait expliquer l'accident de ta fille? En arrivant au bout de la descente, ses freins n'auraient pas répondu, du fait que le circuit de freinage était vide, c'est bien cela? Il a approuvé d'un hochement de tête. Tu oublies juste un détail, ai-je dit. Quand il n'y a plus assez d'huile dans le réservoir, un témoin s'allume sur le tableau de bord à la mise en marche du moteur. Il est impossible que ta fille ne l'ait pas vu. Et en supposant même que ce soit le cas, le circuit ne se serait pas vidé aussi rapidement, elle aurait dû rouler plus de deux kilomètres avant que toute l'huile soit partie. De plus, elle se serait rendu compte que ses freins cessaient progressivement de répondre, et elle se serait aussitôt garée sur la bande d'arrêt d'urgence. Donc, ton explication ne tient pas la route, pardon pour ce mauvais jeu de mots. Sauf dans un cas de figure, a dit le type. Lequel? ai-je demandé. Lorsqu'on ne se contente pas de rajouter de l'huile, mais qu'on purge le circuit de freinage. Et c'est précisément ce qui s'est passé. Le cylindre de la roue avant gauche avait un problème. C'est pourquoi j'ai amené la voiture au garage en demandant qu'on procède à la réparation. Pour cela, il faut faire la vidange d'huile, nous sommes bien d'accord? Et si, après avoir fait la vidange, on oublie de resserrer l'un des purgeurs, qu'est-ce qu'il se passe? La même chose, ai-je répondu. Le témoin s'allume au tableau de bord. Mais il faut que tu saches ceci : je n'ai pas touché aux purgeurs, je me suis contenté de faire l'appoint d'huile. D'ailleurs, et là-dessus je suis formel, personne ne m'a signalé un problème au cylindre.

Il s'est écoulé une ou deux minutes, qui ont suffi au type pour griller une cigarette entière. Il avait l'air très contrarié, comme s'il cherchait des arguments et qu'il ne les trouvait pas. De mon côté, je me sentais de plus en plus mal à l'aise. Je commençais à comprendre l'idée qu'il avait derrière la tête. Il voulait m'obliger à porter le chapeau, me faire endosser la responsabilité de l'accident de sa fille. Il ne pouvait pas admettre qu'elle ait commis une imprudence, et a fortiori qu'elle ait pu faire une chose plus grave, une chose que j'avais encore du mal à nommer pour l'instant, mais qui mettait en cause la responsabilité du type et non la mienne. Tout à coup, il s'est remis à parler, d'un ton destiné à me convaincre, et peut-être surtout à se convaincre lui-même. Je ne te crois pas, a-t-il dit. Tu as ouvert le purgeur et tu as oublié de le refermer. C'est la seule explication possible. Et peux-tu prouver ce que tu avances? ai-je demandé, bien résolu à ne pas me laisser faire. Ce purgeur, peux-tu me le montrer? Tu sais bien que non, a-t-il répondu. Il faudrait démonter la roue et je n'ai pas les outils pour ça. Dans ce cas, ai-je dit, c'est une accusation gratuite.

On a continué à discuter ainsi un moment, chacun campant sur ses positions, défendant sa version bec et ongles. La vérité était sans doute que, pas plus l'un que l'autre, nous n'étions sûrs de notre fait. Je crois que le type la jouait au bluff, qu'il n'avait aucune preuve de ce qu'il avançait. Il espérait seulement qu'à force d'insister, il finirait bien par me faire craquer à un moment ou à un autre, un peu comme un suspect que les flics harcèlent de questions et qui finit par avouer n'importe quoi pour qu'on le laisse tranquille. Quant à moi, avec la fatigue qui commençait à se faire sentir, j'avais de plus en plus de mal à garder les idées claires. Je n'étais plus certain du tout de ce qui s'était passé au garage, le fameux jour où je m'étais disputé avec le patron et où j'étais parti en claquant la porte. Pour le dire franchement, je n'en avais jamais été tout à fait certain. Avant d'en parler au type, je n'avais plus repensé à cet épisode, je l'avais enfoui au plus profond de ma mémoire, comme dans une cave où on dépose les objets encombrants et où on évite soigneusement de remettre les pieds.

Alors? a dit le type. As-tu, oui ou non, purgé le circuit de freinage? Je ne sais plus, ai-je répondu en soupirant. Je te jure que je ne m'en souviens pas. Je te le jure sur ce que j'ai de plus précieux, sur la tête de mes enfants, sur la tête de ma mère. Laisse ta mère et tes enfants en dehors de ça, a dit le type d'un air outré, comme s'il avait été question des siens. Bon sang, tu étais là, oui ou merde? Ce n'est pourtant pas compliqué comme question. Je ne te demande pas de me dire où tu étais tel jour à telle heure, seulement de te rappeler quels gestes tu as faits ou tu n'as pas faits quand tu t'es occupé de la voiture. Je refuse de croire qu'un mécanicien de ta compétence puisse oublier ce genre de choses en l'espace de quelques semaines. Et ne t'avise pas de me raconter des balivernes, sinon tout ça risque de mal se terminer pour toi. Là, j'ai senti qu'il fallait que je parle, que je réponde n'importe quoi plutôt que de me taire, que rester sans rien dire équivalait à signer mon arrêt de mort. J'ai répété ce que je lui avais déjà dit, en me contentant d'y ajouter quelques détails. Tu veux savoir ce qu'il en est de cette histoire de purgeurs, ai-je dit. La réponse est simple : je ne m'en suis pas occupé. Je ne m'en suis pas occupé parce que je n'en ai pas eu le temps. Quand le vieux Fauconnier m'a volé dans les plumes, je venais à peine de commencer le travail. Comme je te l'ai expliqué, avec lui c'était l'engueulade permanente, on y avait tous droit, un jour c'était l'un, un jour l'autre. Et ce jour-là, ça a été pour ma pomme. J'avais toujours réussi à tenir ma langue, mais là il m'a traité de tous les noms, feignant, négligent, incapable, et j'en passe.

Bon, je ne me fais pas d'idées, je ne suis sans doute pas le meilleur mécano de la terre, mais je crois que je connais mon boulot et que je le fais correctement. Il faut savoir ce que c'est de bosser pour un patron comme Fauconnier. Toujours à rôder dans les coins, à te chercher des poux dans la tête, à faire régner la terreur sans aucun motif, juste parce que ce type est une espèce de pervers, un vicieux qui prend son pied à humilier les gens. Jamais un bonjour, jamais un sourire, jamais un merci, et pour les encouragements vous pouvez vous l'arrondir, ce n'est pas le genre de la maison. Le genre c'est plutôt, vas-y mollo avec ta clé, putain où t'as encore fourré la chignole, même pas foutu de reconnaître un marteau d'un pied-de-biche, si c'est pour bousiller l'ouvrage t'as qu'à rester au pieu, et crache pas par terre je te l'ai déjà dit cent fois, et puis va te laver les pattes, dégueulasse, si tu ne le fais pas pour toi, fais-le au moins pour le client. Enfin, puisque tu connais le bonhomme, tu dois savoir de quel bois il se chauffe, sauf qu'à toi évidemment il te fait des politesses, tu n'as pas l'occasion de voir ses mauvais côtés. Bref, le ton est monté tout de suite, j'ai enlevé ma salopette et je la lui ai jetée à la figure. Puis dès qu'il a eu le dos tourné, j'ai attrapé la bombe de peinture et j'ai tagué la vitre de son bureau, comme je te l'ai raconté tout à l'heure. Après quoi je suis allé prendre mes affaires, j'ai claqué la porte et –

Le type ne m'a pas laissé terminer ma phrase. Il s'était mis à marteler la carrosserie de plus en plus fort avec les doigts. Ce n'est pas de ça que je te parle, a-t-il dit d'un ton cassant. Je me moque de tes états d'âme et de tes démêlés avec ton patron. Fauconnier est une salope, il traite son personnel comme du pus, là-dessus on est bien d'accord. Maintenant, assez sur ce chapitre. Je veux que tu répondes à ma question. Il n'y a pas trente-six réponses possibles, tu l'as fait ou tu ne l'as pas fait. Au risque de me répéter, ai-je dit, je n'ai pas touché aux roues, et j'ignore si quelqu'un d'autre s'en est chargé, puisque à ce moment-là j'étais déjà parti. Écoute, a répliqué le type d'un air glacial, je voudrais que tu cesses de jouer les imbéciles, et de me prendre pour un imbécile par la même occasion. Ton ex-collègue Freddy affirme qu'il n'a pas travaillé sur le circuit de freinage. Et si ce n'est pas lui, cela ne peut être que toi. Tu commences le travail en purgeant l'huile usagée, à ce moment Fauconnier te tombe dessus, c'est l'engueulade entre vous, et tu pars en laissant le travail à moitié fait. En d'autres termes, tu abandonnes la voiture dans un état où, tu le sais mieux que quiconque, la conduire représente un risque mortel. Ce n'est pas vrai, ai-je protesté. Et même si c'était vrai, pourquoi tu t'en prends seulement à moi? Pourquoi tu ne demandes pas des comptes à Freddy, qui aurait dû vérifier ce qui avait déjà été fait et ce qui restait à faire? Pourquoi tu n'en demandes pas à Fauconnier lui-même? Après tout, c'est lui le patron du garage, c'est lui qui a mis un autre gars sur le job sans lui donner d'instructions précises. Je me fiche de Fauconnier, a hurlé le type, et je me fiche de Freddy, ce qui m'intéresse c'est toi. Parce que le premier responsable, c'est toi, toi et personne d'autre. Parce que, quelles que soient les raisons, on n'abandonne pas un travail qu'on a commencé.

Il s'est interrompu quelques secondes, sans doute pour que je m'enfonce bien cette phrase dans la tête – une phrase qu'il avait dû préparer longuement avant de me la sortir. Bon, a-t-il fait entre ses dents serrées, tu n'as rien à ajouter à ce que tu as dit? Dois-je considérer que c'est là ta version des faits et que tu n'en changeras plus? Je te conseille de bien réfléchir tant que tu es en mesure de le faire. Je me suis raidi un peu plus en entendant cette menace à peine voilée. Le problème, c'est que j'avais beau me creuser la cervelle, il ne me venait absolument rien d'autre. Je me rappelais ce qui s'était passé *avant*, je me rappelais ce qui s'était passé *après*. Mais ce qui s'était passé *pendant*, je n'en avais pas le moindre souvenir. La panne sèche, le trou noir complet. Un peu comme si on avait poussé sur la touche «effacer», et que maintenant il était impossible de retourner en arrière, de récupérer les données qui avaient disparu de ma mémoire. Et inutile de dire que les menaces du type n'étaient pas de nature à me les faire retrouver. Peut-être que si j'avais été moins fatigué, si j'avais pu y réfléchir tranquillement, cela aurait malgré tout fini par me revenir. Mais là, avec le type qui n'arrêtait pas de m'asticoter, j'étais complètement noué par la peur, je la sentais partir de mon bas-ventre, traverser mon estomac et remonter jusqu'à ma gorge. Je n'avais même plus la présence d'esprit de chercher à me défendre, de lui sortir n'importe quelle explication pour qu'il me fiche la paix, quitte à l'inventer de toutes pièces si c'était nécessaire.

Je t'écoute, a fait la voix du type derrière moi. Euh – excuse-moi, ai-je dit, à propos de quoi au juste? Quand il a entendu ça, il empoigné les revers de ma veste et s'est mis à me secouer violemment. Je me suis laissé faire, j'avais la tête qui partait dans tous les sens, j'étais aussi mou qu'une poupée de chiffon. Et plus il me secouait, moins j'avais envie de lui résister. Bordel, a-t-il crié, réagis, dis au moins quelque chose, montre que tu es un homme et pas une pauvre larve. Je me suis contenté de sourire. Je me sentais tout à coup très calme, très calme et très léger, comme une feuille morte entre ses mains. Qu'est-ce que tu veux que je réponde? ai-je demandé. De toute façon, quoi que je puisse te dire, tu ne me croiras pas. Alors, c'est plus simple que toi, tu me dises ce que tu as envie d'entendre, et moi je te le redirai sans y changer une virgule. En voyant que ses manœuvres d'intimidation ne marchaient pas, il a lâché le col de ma veste et sa colère est retombée de plusieurs crans. Il avait l'air désemparé, comme quelqu'un qui veut cogner un adversaire et dont les coups ne rencontrent que le vide. Tu – tu ne peux pas me faire ça, a-t-il dit. Pas à moi, pas après tout ce que – j'ai besoin de savoir, tu comprends? Je comprends, ai-je fait, mais comme je te l'ai déjà dit, j'ignore ce qui s'est passé à ce moment-là. Avec la meilleure volonté du monde, je suis incapable de t'aider. Ce qui est en jeu, a-t-il dit d'une voix tremblante, ce qui est en jeu, c'est la vie de ma fille, est-ce que tu t'en rends compte? Sa mort, ai-je corrigé. Ta fille est morte, et rien ne la fera revenir. Pardonne-moi de te dire ça, mais quand je t'entends parler, j'ai parfois l'impression que dans ta tête, c'est comme si elle n'avait pas cessé de vivre, comme si elle était toujours là quelque part et qu'elle allait venir se jeter dans tes bras. Et puis je vais te dire autre chose. Ça m'est venu tout à l'heure, quand tu m'as expliqué comment tu voulais en finir, avec cette histoire de grue et de presse et tout le tremblement. J'ai l'impression que pour toi non plus, tu n'arrives pas bien à faire la différence. Comme si tu croyais que même une fois mort, tu continuerais d'une certaine façon à vivre. Ta tête sait que tu seras mort, mais quelque chose en toi ne le sait pas, quelque chose qui refuse de voir la réalité en face. Ça me fait penser à ce que tu m'as raconté à propos de ton père, que lui non plus ne croyait pas qu'il allait mourir un jour. On dirait que chez vous, ça se transmet de père en fils, un peu comme l'alcoolisme – ne le prends pas mal, c'était juste une comparaison.

Je me suis tu en me disant que j'étais peut-être allé trop loin. Après ce que je venais de lui envoyer à la figure, je m'attendais à ce qu'il me saute à nouveau dessus pour me démolir la mienne, mais c'est tout le contraire qui s'est passé. Il a fait quelques pas en titubant, comme un boxeur groggy qui cherche où sont les cordes. Il s'est laissé tomber sur le siège, a sorti de sa poche le petit flacon en plastique, en a versé plusieurs comprimés dans sa main et les a avalés d'un coup en rejetant la tête en arrière. J'ai pensé qu'il devait s'agir d'amphétamines ou quelque chose dans ce goût-là, en tout cas ce n'étaient pas des antidouleurs comme il me l'avait dit au bistrot. Peut-être que son problème n'était pas physique, contrairement à ce que je m'étais imaginé un moment, peut-être que ça n'avait rien à avoir avec un cancer ou une faiblesse cardiaque. Non, le problème, c'est dans sa tête qu'il se trouvait. Le type était une espèce de drogué, un dépressif accro aux médicaments, à l'alcool et aux cigarettes. Ça expliquait sans doute ses sautes d'humeur, sa façon de passer sans cesse d'un extrême à l'autre. J'aurais préféré que mon explication ne soit pas la bonne. Malheureusement, la suite n'a pas tardé à démontrer que j'avais vu juste.

15

Il s'est écoulé un temps très long, pendant lequel on a fait silence tous les deux. Je ne sais pas à quoi le type pouvait bien penser, de mon côté je me souvenais d'une chose qu'il m'avait dite, quand il m'avait reproché d'avoir laissé l'entretien en plan. On n'abandonne pas un travail qu'on a commencé, ç'avaient été ses mots exacts. Je dois dire que cette phrase résonnait d'une drôle de façon à mes oreilles. J'avais envie de lui demander pourquoi il ne se l'appliquait pas plutôt à lui-même. Parce que si quelqu'un abandonnait ce qu'il avait commencé, c'était bien lui. Son bouquin, s'il avait été capable de l'écrire, peut-être que cela aurait tout changé. Peut-être qu'il n'aurait pas pensé que sa vie était un échec. Peut-être qu'il n'aurait pas été le même homme, qu'il n'aurait pas non plus été le même père. Il se serait comporté autrement avec sa fille, il n'aurait pas reporté sur elle ses espoirs déçus, il n'en aurait pas fait une personne fragile et dépendante. Je ne suis pas très versé en psychologie, n'empêche que leur relation telle qu'il me l'avait décrite, je ne pouvais pas m'empêcher de lui trouver un côté malsain. Pour dire le fond de ma pensée, je crois que quelque part le type était amoureux de sa fille. Je ne prétends pas en disant ça qu'il s'était passé des choses entre eux. Le type était ce qu'il était, mais ce n'était pas un père abusif, j'étais sûr qu'il ne l'avait pas touchée ni rien. C'était plus compliqué que ça, c'était quelque chose qui se passait dans sa tête et dont il ne se rendait pas compte. Mais parfois, les pensées qu'on cache, c'est encore pire que les gestes.

Bref, je me disais que s'il n'y avait pas eu entre eux ce genre de relation, à l'heure qu'il était peut-être que sa fille vivrait toujours. Et moi, je ne serais pas en train de jouer ce jeu débile, de me faire harceler et menacer de mort par un malade. Je serais assis tranquillement chez moi, en train de lire un de ces polars qu'il méprisait sûrement, mais qu'au moins il était possible de lire, parce que l'auteur de ce polar méprisable, lui, il était arrivé jusqu'au bout. Pourtant son livre, le type avait eu tout le temps de l'écrire, sans personne derrière lui pour le déranger, sans un patron pour le houspiller toutes les cinq minutes, et alors, espèce de feignasse, qu'est-ce que tu fiches, pas encore au bout de ton chapitre, tu vas te grouiller de le finir ton torche-cul, et si tu ne te manies pas le train, c'est moi qui vais te le botter, compris ? Vingt-cinq ans qu'il l'avait commencé, et toujours rien à se mettre sous la dent – pire que ça, les pages qu'il avait écrites, il s'était empressé de les détruire. Un peu comme si moi, non content de ne pas terminer une voiture, j'avais pris une masse et que j'avais tapé dedans jusqu'à ce qu'il n'en reste rien, c'est alors que j'aurais eu droit aux félicitations du patron. Après ça il pouvait bien venir avec ses leçons de morale, comme quoi on n'abandonne pas ce qu'on a commencé, et tout ce qui s'ensuit.

Pendant que je réfléchissais ainsi, le type avait disparu, j'ai supposé qu'il était allé se soulager ou chercher du bois. J'aurais pu en profiter pour prendre la poudre d'escampette, mais j'étais tellement vidé que je n'en ai pas eu le courage. De toute façon, avec ma patte amochée, je n'aurais pas pu aller très loin, il aurait fini par me retrouver tôt ou tard. Ou bien il fallait que j'arrive à lui prendre son arme, mais ça non plus je ne voyais pas comment le faire. Je le voyais d'autant moins qu'une fois de retour, il s'est mis à introduire des balles dans le barillet. Et cette fois, ce n'étaient pas des balles à blanc, c'étaient des vraies – des balles pour tuer. Qu'est-ce que tu fabriques? ai-je dit. Tu le vois bien, a-t-il répondu. Il avait l'air un peu moins excité, sans doute à cause des médicaments. Ce que tu as fait, c'est une faute grave – c'est, je pèse mes mots, un acte criminel. Et j'entends bien te faire payer pour cet acte. Alors, il a pointé le flingue dans ma direction. Ma belle sérénité de tout à l'heure a disparu d'un coup. J'ai été submergé par la panique, mon corps est devenu dur comme du bois, le sang s'est mis à cogner contre mes tempes. Attends, ai-je dit, tu ne vas quand même pas –? Ah, non? a-t-il répliqué. Et qu'est-ce qui m'en empêcherait? Tu as bien tué ma fille, pourquoi ne tuerais-je pas le meurtrier de ma fille? L'homme qui m'a ôté ce que j'avais de plus cher au monde? Si tu doutes encore de ma résolution, je vais te faire une petite confidence. À toi, je puis bien le dire, car d'ici très peu de temps, tu ne seras plus en mesure de le raconter à personne. Mais d'abord, tu vas aller t'asseoir là-bas. Il désignait avec son revolver l'épave de la Mercedes. Qu'est-ce que – pourquoi veux-tu que – ? ai-je balbutié. Ne discute pas, a-t-il dit, fais ce que je te demande. J'ai marché jusqu'à la voiture et je me suis glissé à la place du conducteur, là où le type se trouvait il y a encore quelques minutes. J'avais l'impression de m'introduire dans une espèce de corset métallique qui m'enserrait de toutes parts. Sur le siège, sur le volant, sur le tableau de bord, il y avait des traces de sang séché, en gouttelettes éparses ou en traînées discontinues. Le pare-brise étoilé et gondolé avait résisté par miracle, malgré la violence des coups qu'il avait reçus, ceux de l'accident et puis les miens. On aurait dit qu'il était éclairé de l'intérieur, à cause des milliers de petits bouts de verre juxtaposés, qui accrochaient l'éclat de la lune et faisaient comme un puzzle lumineux. Après s'être installé derrière moi, le type a posé le canon de son arme contre ma nuque. J'ai sursauté en sentant le métal froid et je me suis raidi encore un peu plus. J'étais persuadé que je vivais mes derniers instants, que le type allait m'abattre comme un chien. Pose tes mains sur le volant, a-t-il dit. Je me suis exécuté docilement, je n'avais pas d'autre choix que d'obéir à ses ordres, même si c'étaient ceux d'un homme qui a perdu la raison. Il s'est mis à parler d'une voix murmurante, si près de mon oreille que je pouvais sentir dans mon cou la chaleur de son souffle. Et ces paroles chuchotées étaient mille fois plus effrayantes que s'il les avait hurlées à pleins poumons.

Tout à l'heure, a-t-il commencé, je t'ai parlé de Güner, le compagnon de ma fille. Je t'ai dit que je ne l'avais jamais rencontré. Eh bien, c'était faux. Je l'ai rencontré une fois. Lorsque je suis allé en Allemagne reprendre les affaires d'Aurélie, j'ai trouvé un carnet contenant son journal intime. En temps ordinaire, s'il m'était tombé entre les mains, je ne me serais jamais permis de le lire, ni même simplement de l'ouvrir. Mais là on n'était plus en temps ordinaire, on était devant un cas de force majeure. Je me suis donc fait violence et j'ai commencé à parcourir les pages. Ce que j'y ai découvert dépassait de loin les rares informations que j'avais pu obtenir d'elle. C'était le récit d'une descente aux enfers, d'un calvaire de tous les instants. Je préfère ne pas entrer dans les détails, rien que d'y repenser j'en ai encore des haut-le-cœur. Ce Güner n'était pas seulement un petit drogué minable, c'était une franche crapule, un trafiquant qui lui avait mis le grappin dessus et la maintenait dans une sorte d'esclavage psychologique. Comment ma fille a-t-elle pu se laisser manipuler ainsi, c'est ce que je ne comprendrai sans doute jamais. Parmi les papiers que j'ai trouvés, il y avait également un répertoire de téléphone, où figurait le numéro de portable du gars. J'ai rapidement mis au point une petite stratégie – à présent que je connaissais mieux l'oiseau, je savais de quelle manière le piéger. J'ai pris contact avec lui en me faisant passer pour un dealer bulgare. Je pratique un peu l'allemand, qui est comme chacun sait la langue de la philosophie – du moins mes lectures m'auront-elles servi à cela. Le fait que je le parle de manière imparfaite ne me rendait que plus crédible, j'en ai juste un peu rajouté en roulant les R, en utilisant une sorte de sabir de mon invention. Je lui ai expliqué que je disposais d'un stock important de marchandise et que j'étais à la recherche de quelqu'un sur place pour m'aider à l'écouler. Je lui ai donné rendez-vous au pied de la tour de télévision, un repère connu de tous les habitants de la ville. Là, il s'est produit un imprévu, qui a failli compromettre mon plan. À l'endroit du rendez-vous, il n'y avait pas un type mais deux. Et comme ils se ressemblaient à s'y méprendre, je n'aurais pu dire lequel était mon homme, bien qu'ayant vu plusieurs photos de lui dans les affaires d'Aurélie. J'ai dit que je désirais traiter avec Güner, et avec lui seul. J'ai ajouté que je ne voulais pas parler là, qu'il était préférable de trouver un lieu plus discret, que celui qui était Güner n'avait qu'à m'en indiquer un et que je nous y conduirais en voiture. Les deux types se sont éloignés de quelques mètres et ont commencé à discuter le coup entre eux. Je voyais bien qu'ils n'avaient pas confiance, mais après tout c'était normal, à leur place j'aurais réagi de la même manière, je ne corresponds sans doute pas à l'image qu'on se fait d'un caïd bulgare de la drogue. Finalement, ils ont déclaré qu'ils étaient d'accord, à condition qu'ils puissent venir tous les deux. J'ai aussitôt flairé le mauvais coup, je n'avais pas envie de me retrouver dans la peau du piégeur piégé. J'ai répondu que dans ce cas c'était non, et je me suis dirigé vers ma voiture. Quand ils ont vu la Mercedes flambant neuve, avec la lettre B à côté de la plaque minéralogique, ils se sont brusquement ravisés. Par un hasard providentiel – moi-même je n'avais pas prêté attention à ce détail –, le B pouvait signifier aussi bien Bulgarie que Belgique. Alors l'un des deux types est revenu vers moi, il m'a serré la main en déclarant qu'il s'appelait Güner et qu'il allait m'emmener dans un endroit sûr. Nous avons roulé un bon moment dans un silence interrompu seulement par les indications que me donnait mon passager. Mannheim est une cité au riche passé industriel, durement frappée par la crise de la sidérurgie et qui tente de survivre en se diversifiant. Elle possède un port fluvial, aménagé à la périphérie de l'agglomération, assez semblable à celui qui se trouve près d'ici. C'est là que Güner m'a conduit après avoir effectué un certain nombre de détours, probablement pour s'assurer que personne ne nous suivait. À peine descendu de voiture, j'ai sorti mon revolver – le même que celui que je tiens dans la main en ce moment – et je l'ai abattu sans hésiter une seule seconde, sans même avoir essayé d'engager la discussion avec lui.

Quand la voix du type s'est tue, j'étais véritablement tétanisé, incapable de faire un geste ou de prononcer une parole. Je le soupçonnais déjà d'être sérieusement dérangé, mais là je me suis rendu compte qu'il était vraiment fou, un fou de l'espèce organisée et méthodique, qui est la plus dangereuse de toutes. Il y a un nom pour désigner ce genre de malades, mais je n'arrivais pas à retomber dessus. Je ne doutais pas un instant qu'il était capable de mettre sa menace à exécution et de me liquider froidement comme il l'avait fait avec Güner. Il s'est écoulé une minute interminable, puis le type s'est remis à parler de la même voix murmurante qui me glaçait les sangs. Alors, a-t-il dit, qu'as-tu à répondre à cela? À répondre à quoi? ai-je fait. As-tu ou n'as-tu pas refermé le purgeur de la roue? Quand j'ai entendu ces mots, j'ai ressenti un accablement immense. J'avais l'impression que ça n'en finirait jamais, que la même scène allait se répéter encore et encore, avec les mêmes questions posées dans les mêmes termes, comme dans un cauchemar d'où l'on n'arrive pas à sortir. Je t'ai déjà dit tout ce que je savais, ai-je fait, je n'ai rien à ajouter de plus. Tu es persuadé que je suis coupable, que ta fille est morte à cause de moi, et je ne vois pas comment te prouver le contraire. Si c'est vraiment ça que tu penses, fais ce que tu crois devoir faire, mais fais-le vite. Et sache que c'est un assassinat, un acte lâche et barbare. Je ne comprends pas que toi, un philosophe, un type qui a réfléchi sur la vie, ou qui est censé l'avoir fait, tu puisses te rendre responsable d'un crime pareil.

Il a enfoncé un peu plus le canon du revolver dans le creux de ma nuque. Instinctivement, j'ai renversé la tête en arrière, mes mains se sont crispées sur le volant au point de le tordre. Ça suffit, a-t-il fait. Je crois te l'avoir déjà fait comprendre, je n'ai pas de leçons de morale à recevoir de toi. Dis-moi plutôt quelles sont tes dernières volontés. Un verre de gin? Une dernière cigarette? Un morceau de poulet? Je l'ai entendu ricaner derrière moi. Ce type avait vraiment une âme de tortionnaire. Dois-je prévenir ta femme, tes enfants, tes amis? a-t-il continué. Je n'ai même pas eu envie de répondre. Ma femme, tout ce qu'elle trouverait à dire, c'est bon débarras. Et les amis, pour ce qu'il m'en restait, ils ne risquaient pas de se bousculer à mon enterrement. Quant à mes enfants, je préférais ne pas y penser, que le type ait osé prononcer leur nom, ça me donnait juste envie de lui cracher à la gueule. À ce moment, j'ai senti qu'il enlevait le canon de ma nuque. Arrête de gamberger, a-t-il dit. Il a laissé passer un moment avant d'ajouter, tu me prends vraiment pour un assassin? Tu me crois capable de tuer quelqu'un de sang-froid? Celle-là, c'est la meilleure, je me suis étranglé. Tu viens de me raconter comment tu as buté le mec de ta gamine, et maintenant voilà que tu me demandes – non mais je rêve, ce n'est pas possible. Espèce de couillon, je t'ai dit ça pour te faire marcher. Je n'ai encore jamais tué personne de ma vie. Alors, cette histoire, elle était fausse? Bien sûr que oui. Sans mentir? Le gars, tu ne l'as pas buté? Je ne l'ai même pas rencontré. Oh, putain. Et dire que moi je t'ai cru. Attends, à quel jeu tu joues, là? Tu te rends compte que j'aurais pu attraper un infar? Je n'en reviens pas que tu m'aies fait un coup pareil. Le pire, c'est que je sais plus ce que je dois penser. Peut-être que dans cinq minutes, tu vas à nouveau changer d'avis, me dire que l'histoire du Turc était vraie, que c'est maintenant que tu me racontes des craques, que tu as réellement eu l'intention de me buter, et ainsi de suite. Je l'ai entendu chercher quelque chose dans ses poches. Il y a eu un petit bruit métallique, comme si on entrechoquait des clés ou des pièces de monnaie. Il a mis sous mes yeux sa main à moitié repliée en forme de coupe. J'ai dû reculer la tête pour mieux voir. C'étaient des cartouches. Il les a fait sauter trois ou quatre fois dans sa paume, puis avec son autre main il m'a présenté le revolver, pour me montrer que le barillet était vide. J'aurais pourtant juré qu'il avait placé les balles dedans, je ne comprenais ni à quel moment ni de quelle manière il avait réussi à les retirer et les faire passer dans sa poche, ça confirmait l'impression que j'avais eue, qu'en plus d'être philosophe et expert automobile, il devait occuper ses loisirs à faire prestidigitateur.

Je n'avais pas encore eu le temps de me remettre, que j'ai frémi en le voyant replacer les balles dans leur logement. Pourquoi tu fais ça? ai-je demandé. Tu veux vraiment me rendre dingue? Ne te tracasse pas, a-t-il répondu, je ne compte pas m'en servir contre toi. J'aimerais en être sûr, ai-je dit, sauf qu'après ce qui s'est passé, pardonne-moi de te parler franchement, mais je n'ai plus tellement confiance. J'ai dit que *je* ne comptais pas m'en servir, a-t-il déclaré. Je n'ai pas dit que *toi*, tu n'allais pas avoir à le faire. Bon Dieu, ai-je pensé, voilà qu'il remet ça. Je croyais qu'on était arrivés au bout, et maintenant c'était retour à la case départ. Je ne connaissais toujours pas les raisons du type, je n'étais même pas certain que ces raisons existaient, que tout ceci n'était pas une nouvelle partie de poker menteur, une nouvelle ruse dans le jeu du chat et de la souris qu'il jouait avec moi. La seule chose dont j'étais certain, c'est que je commençais à en avoir assez de ses histoires, qu'il fallait à tout prix que je me sorte d'ici à la première occasion. Si le type persistait dans son idée de mourir, il faudrait forcément qu'il me confie son arme et le problème serait résolu. Je ne savais pas encore si je ferais ce qu'il me demandait, ou si je me contenterais de le neutraliser, puis que je m'en irais avec l'argent. Pour autant que cet argent existe, car je n'en avais pas encore vu la couleur, et après tout ce qui était déjà arrivé, je n'étais pas convaincu qu'il y en avait dans l'enveloppe, peut-être qu'elle ne contenait que des liasses de papier journal. J'espérais juste qu'il ne change pas d'avis, qu'il reste un peu sur son idée de mourir, le temps que je sois en possession de son revolver. Et s'il ne me le donnait pas de lui-même, s'il se ravisait une fois de plus d'ici quelques minutes, il faudrait que je trouve un moyen de le lui prendre. Mais cela, c'était une autre histoire.

16

J'ai demandé au type s'il ne voyait pas d'inconvénient à ce que je sorte de l'épave. J'avais des raideurs partout, dans la nuque, dans le dos, dans les jambes, et ma cheville m'élançait de nouveau. Comme il ne répondait pas, je me suis extrait lentement de l'habitacle, j'ai marché en faisant quelques mouvements de décontraction. Le type est sorti à son tour et est retourné prendre du bois pour le feu, apparemment il voulait encore goûter un peu aux joies de l'existence. Je me suis servi un verre de gin, j'avais bien besoin d'un remontant. Bon sang, pensais-je, qu'est-ce qui m'a pris de répondre à cette maudite annonce? J'aurais voulu revenir vingt-quatre heures en arrière, pouvoir modifier le cours des événements ou juste d'un seul d'entre eux, faire en sorte de n'avoir jamais acheté le journal ce matin-là, ou de l'avoir acheté mais de ne pas l'avoir lu, ou de l'avoir lu mais rien que les grands titres, ou les pages sportives, ou les faire-part de décès, comme je faisais auparavant, à l'époque où j'avais encore du travail.

Alors je me suis souvenu de ce que disait le texte de l'annonce. «Propriétaire Triumph TR5 cherche mécanicien pour travail spécialisé. Très bonne rémunération, discrétion garantie.» Et là, tout à coup, j'ai compris ce qui n'allait pas. Au moment où je l'avais découverte, ma première réaction avait été de me dire, quelle coïncidence extraordinaire, on dirait une annonce faite exprès pour moi, à croire que celui qui l'a écrite me connaît, qu'il l'a passée dans le journal en espérant que je tombe dessus. Normalement, cela aurait dû suffire à éveiller ma méfiance. Seulement voilà, quand on est dans la situation qui est la mienne, qu'on a du mal à nouer les deux bouts, qu'on a des dettes et pas d'argent pour les payer, et qu'une occasion aussi providentielle se présente, on n'a pas vraiment envie de raisonner, on se dit qu'il ne faut pas faire la fine bouche, qu'on doit saisir l'occasion qui se présente sans trop se poser de questions, et on n'a rien de plus pressé que de mettre son cerveau en veilleuse.

Restait à savoir comment le type s'y était pris pour obtenir les informations qui lui avaient servi à rédiger l'annonce. Une fois qu'il a été de retour, je lui ai posé la question. Il m'a répondu que ça n'avait pas été bien difficile. Il avait demandé au détective de retourner au garage, pour se renseigner sur moi, sur mes hobbys, sur mes habitudes. En parlant avec mes anciens collègues, il avait appris que je m'intéressais aux vieilles voitures, particulièrement aux vieilles Triumph, que j'en avais possédé une autrefois, que mon rêve était de pouvoir m'en racheter une, même si ce n'était pas pour la conduire mais pour la laisser au garage. Le type avait donc rédigé son annonce en tenant compte de ces éléments. Pour être sûr qu'elle arrive jusqu'à moi, le détective s'était rendu un matin à mon domicile. Il avait guetté ma sortie, m'avait pris en filature jusqu'au marchand de journaux et avait vu le nom du canard que j'achetais. Ici, et ici seulement, a dit le type, le hasard avait joué son rôle. Rien ne l'assurait que je lise le journal, mais il s'est trouvé que c'était effectivement le cas. Je me suis permis de lui dire que ce n'était pas tout à fait exact, que le hasard était intervenu au moins sur un autre point : la Triumph TR5. Car que justement son père en ait eu une dans sa collection, c'était tout de même un assez joli coup de chance. En entendant ça, le type a eu un petit rire, il m'a demandé de quelle Triumph je voulais parler. Personnellement, je n'en voyais qu'une, celle qui était sur la photo avec son père, celle qu'il avait crashée et que je devais remettre en état, si toutefois elle existait ailleurs que dans son esprit. Sur quoi il a ri de plus belle, et m'a dit qu'il n'y avait jamais eu de Triumph accidentée, que le bonhomme qu'on voyait sur la photo n'était pas son père, que d'ailleurs ce n'était pas une photo mais une image découpée dans une revue. Et pour me le prouver, il l'a ressortie de son portefeuille et me l'a montrée à l'envers, en effet il y avait du texte imprimé de l'autre côté. Voilà sans doute pourquoi, a-t-il ajouté, tu as eu l'impression que mon père ne me ressemblait pas beaucoup. D'une certaine façon, on peut dire que tu avais vu juste.

Oui, j'avais vu juste, sauf que j'avais tout faux. Bon sang, quel ballot je pouvais faire. Je me sentais totalement ridicule. J'avais gobé tous ses mensonges comme le dernier des naïfs. Cette histoire de voiture, comme j'en avais eu le soupçon, c'était juste un truc pour m'attirer, et moi j'avais marché comme un seul homme, sans me douter que j'étais en train de me faire avoir. Je lui ai demandé s'il m'avait tout dit, ou si je devais m'attendre à d'autres révélations. Il a laissé passer un moment, puis il a répondu, non, je crois t'avoir tout dit. Par contre, il y a des choses que j'aimerais que toi, tu me dises. Je lui ai demandé à quoi il faisait allusion. Pour lui, il était évident que le démolisseur n'était qu'un intermédiaire, que les vrais responsables étaient à chercher ailleurs. Celui qui tirait les ficelles, c'était mon ancien patron, le vieux Fauconnier. Imagine un instant, a-t-il poursuivi, que l'affaire ait éclaté dans les journaux. Tout le monde aurait su qu'il avait salopé l'entretien d'une voiture, et que cette négligence avait entraîné la mort d'une innocente. Tu vois d'ici le résultat : ça lui aurait fait une publicité désastreuse, il pouvait perdre pas mal de clients dans l'aventure. Plutôt que de courir ce risque, il a préféré retirer l'épave de la circulation, puis la faire réapparaître après avoir remplacé le liquide de freins et graissé la patte au démolisseur. Bien entendu, cela suppose qu'il ait eu des complicités en haut lieu. Et tu penses à quelqu'un en particulier? ai-je demandé sans trop y croire. Delmarcelle, a-t-il lâché après avoir hésité quelques secondes. L'inspecteur chargé de mener l'enquête. C'est lui qui, à la demande de Fauconnier, a ordonné que l'épave soit transportée chez le ferrailleur, alors qu'elle aurait dû rester à la disposition de la justice. C'est lui qui a prématurément mis un terme aux investigations, en informant la presse que l'accident n'était pas dû à une défaillance du véhicule, mais à l'attitude imprudente de ma fille et aux mauvaises conditions météorologiques. Les journalistes auraient pu creuser l'affaire de leur côté, en principe c'est leur rôle de vérifier les informations qui circulent. Quand j'ai eu les conclusions du détective, je me suis mis en rapport avec l'auteur du papier que tu as lu, un certain Christian Bouvry – celui qui m'avait interrogé à propos de la dispute avec ma fille. Je lui ai fourni tous les éléments dont je disposais, que j'ai pris la peine de rédiger moi-même et de lui envoyer par mail. Sur le moment, il m'a semblé qu'il était prêt à faire quelque chose, mais j'ai eu beau attendre, le relancer plusieurs fois au téléphone, l'accident n'a plus été évoqué dans le journal. Tous mes efforts n'ont servi à rien, l'affaire a été purement et simplement étouffée. De là à penser qu'il était de mèche avec les autres, il n'y a qu'un pas qu'il n'est pas difficile de franchir.

Il s'est arrêté de parler et s'est allumé une cigarette. Sa main tremblait si fort qu'il avait du mal à diriger la flamme. Pendant qu'il parlait, il n'avait pas cessé de lancer les bras en l'air, de se passer la main dans les cheveux, d'aller et venir à grands pas, il me faisait l'impression d'un avocat complètement speedé. Qu'est-ce que tu en penses? m'a-t-il demandé d'un ton pressant. Oui, tu as sans doute raison, ai-je répondu. Et comment que j'ai raison, a-t-il renchéri. Maintenant, ce qu'il nous faut, c'est constituer un dossier solide. Et pour cela, j'ai besoin de ton aide. J'ai été pris d'une toux nerveuse. Bien sûr, ai-je dit en déglutissant avec difficulté, je ne demande qu'à te rendre service. Mais as-tu des preuves de ce que tu avances? Des preuves, des preuves, a-t-il dit, évidemment que j'en ai des preuves. Tiens, par exemple : Delmarcelle et Fauconnier font partie du même club de tir. Ils se retrouvent tous les dimanches matin, à faire des cartons sur des cibles pendant deux heures, comme ils iraient disputer une partie de golf ou de squash. Ce n'est pas une preuve, selon toi? Je ne sais pas, ai-je dit. Peut-être. Enfin, ça dépend. De quoi? a-t-il fait, l'air furibond. Ça veut dire quoi, ces réserves? Tu es avec moi ou tu n'es pas avec moi? Si tu es avec moi, tu pourrais essayer de faire avancer les choses, au lieu de venir avec tes « peut-être» et tes «ça dépend». J'ai compris que ça ne servait à rien de discuter avec lui. Il était tellement persuadé de ce qu'il disait qu'il n'était plus capable d'entendre un autre son de cloche. Un peu comme moi quand j'avais trouvé la petite annonce, j'y avais vu ce que je voulais bien y voir, et le reste je m'étais arrangé pour le laisser de côté. Par ailleurs, j'ai noté à nouveau combien son attitude était incohérente. Il parlait de mourir, et en même temps il voulait faire un procès au garage, comme s'il avait oublié ce qu'il venait de dire l'instant d'avant – ou plutôt, ce qui me paraissait de plus en plus clair, comme s'il n'avait jamais eu réellement l'intention de mourir.

Le type a repris deux de ses comprimés avec une gorgée de gin. Cela a paru lui faire du bien, parce qu'au bout de quelques minutes, il est redevenu un peu plus calme. Tu comprends, ai-je dit, je ne demande pas mieux que de t'aider. Mais il faut que tu m'expliques de quelle façon. C'est très simple, a-t-il répondu. Tu m'as dit que tu étais resté chez Fauconnier pendant quatre ans, avant qu'il y ait cette dispute entre vous et que tu lui claques la porte au nez. Pendant ces quatre ans, il a forcément dû se passer des choses. Des choses que tu as pu constater toi-même, ou que tu as apprises par tes collègues, peut-être même par des clients. À quel genre de choses penses-tu? ai-je demandé. Des histoires pas claires, a-t-il dit. Des factures au noir. Des dessous de table. Des compteurs trafiqués. Des voitures maquillées. Des chantages à l'assurance. Des fraudes à la TVA. Bref, inutile de te faire un dessin, tu vois parfaitement de quoi je parle. Fauconnier, les établissements Fauconnier, ça fait quoi, dix, quinze personnes? Pas un petit garage de quartier, mais pas non plus une multinationale. À moins de fermer les yeux et de se boucher les oreilles, les histoires louches finissent toujours par se savoir. Et moi, tout ce que je te demande, c'est de m'en raconter quelques-unes, afin que je puisse donner de la consistance à mon dossier.

Je me suis levé à mon tour, pour me donner un peu d'air et surtout pour dissimuler mon embarras. Évidemment que je voyais ce qu'il voulait dire. Des dessous de table, des travaux réglés au noir, des voitures d'occasion payées la moitié de leur prix, des vieux clous qu'on rajeunit de cent mille kilomètres, des magouilles dans ce genre-là, sûr qu'il y en avait. On aurait plus vite fait de se demander s'il y avait un garage où ça ne se passait pas ainsi – d'ailleurs lui-même, en tant qu'expert automobile, était bien placé pour le savoir. Quant aux voitures maquillées et aux chantages à l'assurance, je ne saisissais pas trop à quoi il faisait allusion, pour moi c'étaient plutôt des choses qu'on trouve dans les livres ou dans les films. Fauconnier était un salopard, mais ce n'était pas un truand. Je ne l'imaginais pas faire le recel de voitures volées, dont on lime le numéro de châssis pour aller les revendre dans les pays africains. Ce genre de trafic, ça se passe plutôt dans des trous perdus à la campagne, où les garages ressemblent à tout sauf à des garages, pas dans des boîtes qui ont pignon sur rue. Et en admettant même que ce soit le cas, inutile de dire que ça avait lieu hors de ma présence, personne ne venait me chercher en me disant, eh Polo, arrête-toi cinq minutes, on va magouiller un peu, tu veux venir voir ce qu'on fait?

C'est ce que j'ai essayé d'expliquer au type. J'ai tourné sept fois ma langue dans ma bouche avant de parler, mais je l'aurais même tournée sept cent fois, ça n'aurait fait aucune différence. Il s'est emporté, s'est mis à me gueuler dessus, à dire que j'étais de mauvaise volonté, tout juste s'il ne m'accusait pas de collusion avec l'ennemi. Les petites pilules n'avaient pas dû faire leur effet très longtemps. Le balancier était reparti dans l'autre sens, une fois de plus le type était en train de replonger dans ses idées paranoïaques. Sauf que moi je n'avais pas envie de faire le plongeon avec lui, pour qu'il m'entraîne jusqu'au fond et que je ne puisse plus remonter. Tu devrais arrêter de boire, ai-je dit, j'ai l'impression que l'alcool ne te vaut rien. Oh, ça va, a-t-il hurlé, tes recommandations, tu peux te les accrocher où je pense. Si j'ai envie de boire, ce n'est pas toi qui m'en empêcheras. Et joignant le geste à la parole, il a attrapé la bouteille et s'en est envoyé une grande rasade.

À ce moment, je me suis rappelé le terme que je cherchais tout à l'heure. La maniaco-dépression. Le type était un maniaco-dépressif. Du coup je me suis rappelé aussi où je l'avais entendu. C'était dans la bouche de l'avocat de mon ex, quand on avait entamé la procédure de divorce, il avait laissé entendre que j'étais maniaco-dépressif. Je ne sais pas où il était allé pêcher ça, peut-être chez le conseiller familial de mes deux, le soi-disant spécialiste en rafistolage de couples à la dérive. Autant que je puisse juger, je n'ai jamais été ni maniaque, ni véritablement dépressif, et encore moins maniaco-dépressif. En tout cas c'était bien trouvé, parce que le divorce avait été prononcé à mes torts, alors que c'était elle qui avait un amant et qui avait quitté la maison. C'était bien trouvé, mais c'était complètement faux, même qu'après j'étais allé voir le mot dans le dictionnaire. J'ai oublié la définition exacte, mais en gros un maniaco-dépressif, c'est un type qui a des hauts et des bas, pas des hauts et des bas comme on en a tous, mais des hauts très hauts et des bas très bas, et entre les deux rien du tout. Un jour il se prend pour le plus grand génie que la terre ait porté, et le jour d'après il pense qu'il ne vaut pas mieux qu'une crotte au cul d'un chien. Le matin il se croit capable de déplacer les montagnes, et l'après-midi il n'a même plus la force de bouger le petit doigt. C'était le portrait tout craché du type. Il n'arrêtait pas de souffler le chaud et le froid, un coup je veux me tuer, ou plutôt je veux que tu me tues, un coup je veux te tuer toi, mais non c'était juste pour rire, et puis réflexion faite, si tu me tuais quand même, ça arrangerait tout le monde – au bout du compte, il ne sait plus ce qu'il veut et il ne fait rien du tout. Si ce n'est qu'à force de jouer avec le feu, il finirait bien un jour par se brûler, ou par brûler quelqu'un d'autre. Et dans la circonstance, ce quelqu'un d'autre, c'était moi.

17

Cette fois, j'ai pensé que ça commençait à bien faire. Il était temps que je me tire de cet endroit, et plus tôt ce serait mieux ce serait. Problème : le flingue. Il était dans la main du type, pas dans la mienne. Et pour le lui prendre, je ne pouvais compter que sur la ruse. Le type était costaud, j'avais déjà pu m'en rendre compte, et si je voulais le lui enlever de force, j'étais certain d'avoir le dessous. Le revolver, je n'avais pas l'intention de l'utiliser, juste d'empêcher que lui ne l'utilise contre moi. Je ne dis pas qu'il l'aurait fait, mais je n'aurais pas non plus juré le contraire : un coup de sang, une seconde d'égarement, et c'était le geste irréparable, un geste qu'il regretterait toute sa vie, et que moi je n'aurais même pas l'occasion de regretter. Donc, ne pas faire de vagues, surtout éviter de le heurter de front, essayer plutôt de le caresser dans le sens du poil. L'amener sur un terrain où il aurait l'avantage, où il pourrait étaler son savoir et moi mon ignorance. Alors j'ai eu l'idée de le faire parler de philosophie. Je n'aurais pas à me forcer beaucoup pour paraître ignorant, parce que la vérité c'est que la philosophie, je commençais à avoir une vague idée de ce que c'était, par contre je ne voyais toujours pas à quoi ça pouvait servir. Et quand je dis que j'en avais une vague idée, c'est comme un habitant de l'Amazonie sait ce qu'est la banquise, s'il l'a vue un jour à la télévision, s'il a la chance d'avoir la télévision. Il sait que quelque part à l'autre bout de la terre, il y a des gens qui construisent des igloos et qui mangent du poisson fumé en sculptant des dents de morse, mais à part ça qu'est-ce que ça peut leur foutre aux Amazoniens, ils ont des choses autrement plus importantes à penser, comme de ne pas mettre les doigts dans une plante carnivore, ou de ne pas se faire dévorer tout cru par les crocodiles, et d'organiser de temps en temps une petite guerre avec la tribu voisine, histoire de vérifier qu'ils n'ont pas perdu la main. Eh bien pour moi c'était pareil, la philosophie était quelque chose d'à peu près aussi réel que la banquise, et l'idée que certains pouvaient passer le plus clair de leur temps à s'y geler le derrière, je dois dire que jusque-là ça ne m'avait pas effleuré une seconde. On m'aurait demandé ce que c'est un philosophe, j'aurais été bien infoutu de répondre, j'aurais dit c'est un branleur de mouches, ou une autre stupidité du même genre. Avant que je ne rencontre le type, la philosophie c'était juste un mot dans le dictionnaire, et pour moi il pouvait y rester jusqu'à la fin des temps, il ne risquait pas que je vienne le déranger dans son sommeil.

Si tu permets, ai-je dit au type, je voudrais te poser une question. Ça fait un moment que je l'ai sur le bout de la langue, mais je n'ai pas encore osé te la poser, parce que j'ai peur que tu te fiches de moi. Quelle question? a demandé le type avec méfiance. Est-ce que tu peux m'expliquer à quoi sert un philosophe? ai-je dit. Parce que tu vois, pour la plupart des métiers, on n'a pas à se poser la question. Un plombier répare les fuites d'eau, un dentiste soigne les caries, un éboueur enlève les poubelles, et ainsi de suite. Même s'il arrive parfois qu'on rouspète, parce qu'ils vous prennent trop cher ou qu'ils font mal leur boulot, on sait bien qu'on ne pourrait pas se passer d'eux. Tandis qu'un philosophe, pour des types de mon espèce, qui n'ont pas fait beaucoup d'études, qui n'y connaissent pas grand-chose à la culture, on a un peu de mal à savoir à quoi ça sert. Par exemple, quand on se promène dans la rue, on ne voit pas de plaques sur les façades, où il serait écrit M. Tartempion, philosophe, reçoit les mardis et les jeudis de 14 à 18 heures. Et je n'ai jamais entendu quelqu'un dire, chérie je serai absent cet après-midi, j'ai rendez-vous chez le philosophe. Autrement dit, imaginons qu'il n'y ait pas de philosophes, à mon avis les gens ne s'en apercevraient même pas, le monde continuerait à tourner comme il l'a toujours fait.

Je n'étais pas trop content de ma tirade. J'avais peur qu'il se vexe, j'aurais dû y mettre plus de formes, au lieu de lui rentrer dedans bille en tête – car le type, en plus d'être maniaco-dépressif, était aussi très terriblement susceptible. Mais il m'a écouté avec attention, sans montrer de signe d'impatience. Il a joint les mains devant son visage et il a réfléchi un moment avant de répondre. Est-ce qu'il t'arrive de lire des livres? m'a-t-il demandé. Parfois, ai-je dit. Surtout des romans noirs. Et ça t'intéresse de les lire? Si le bouquin est bien fichu, oui. Sais-tu pourquoi ça t'intéresse? Parce que ça me fait passer un bon moment. Et t'es-tu déjà demandé à quoi ça te servait, de passer un bon moment? Je dois dire que non, ça me suffit de lire le bouquin, si je me demande pourquoi je fais ça, je crois que ça va m'ôter l'envie de le lire. Bon, prenons un autre exemple. Tu as une femme? J'avais. Comme je te l'ai dit, la garce s'est barrée. Alors tu as bien une copine? Pas en ce moment. Si c'est ce que tu veux savoir, j'ai mes petits arrangements avec la veuve Poignet. Avec elle au moins, il n'y a jamais de dispute, en plus elle ne me coûte pas un rond. Mais je ne vois pas pourquoi tu me parles de ça. Quand tu as du plaisir, est-ce que tu te demandes à quoi ça sert? Non, évidemment, c'est comme avec les bouquins. Seulement attends, que je voie si je te suis bien. Tu veux dire que la philosophie, c'est pareil que de lire un polar ou de baiser, ça ne sert à rien mais ça fait plaisir? C'est une manière de formuler le problème. Oui, sauf que moi, avec un bouquin de philosophie, ça m'étonnerait que je prenne mon pied. Qu'en sais-tu? Tu en as déjà ouvert un? Sur quoi te bases-tu pour juger? Il n'y a pas besoin que j'en lise un pour savoir que je n'en suis pas capable. S'il fallait qu'on lise d'abord tous les livres pour être sûr qu'on ne les comprend pas, même si on avait plusieurs vies de rechange, comme dans les jeux vidéo, ça n'y suffirait pas encore. Mais peut-être que ton bouquin à toi, celui que tu as envie d'écrire, si tu as toujours envie de l'écrire, celui-là j'arriverais à le comprendre? En fait, tu ne m'as toujours pas dit de quoi ça parlait.

Le type s'est renversé sur son siège, le regard tourné en direction des étoiles, même si des étoiles on n'en voyait guère, à cause des gros nuages qu'il y avait au-dessus de nos têtes. J'ai commencé à m'intéresser à la philo vers l'âge de seize ans, a-t-il expliqué. C'est alors que j'ai découvert l'existentialisme. Le quoi? L'existentialisme. Un courant philosophique. Sartre, ça te dit quelque chose? Euh, non. Il était très connu jusque dans les années soixante. C'était un maître à penser, la référence absolue en la matière. Mais une décennie plus tard, il était passé de mode, balayé par le structuralisme. Barthes, Lacan, Foucault, Derrida, Althusser, Lévi-Strauss. Je suppose que ces noms ne te disent rien non plus? Vraiment rien, je suis désolé. Tu ne voudrais pas me les écrire? Je lui ai tendu le journal, il a sorti son stylo et les a notés dans la marge, à côté du plan qu'il avait griffonné au bistrot.

C'est pour cette raison que je peux les citer aujourd'hui, sans quoi ils seraient entrés par une oreille et sortis par l'autre. Moi, a-t-il continué, le structuralisme, cela n'a jamais été ma tasse de thé. J'en suis resté à l'existentialisme, même si je savais que ce n'était plus au goût du jour, même si j'avais le sentiment de mener un combat d'arrière-garde. Je suis demeuré un amateur, dans tous les sens du terme, je n'ai jamais eu de contacts avec le monde universitaire, jamais participé à des colloques, jamais publié dans des revues. J'ai essayé une fois, mais je n'ai jamais eu de réponse, à mon avis ils ont dû égarer le manuscrit. Je suis sûr qu'un jour Sartre reviendra à l'avant de la scène, l'histoire de la philosophie est ainsi faite, pas plus que le reste elle n'échappe aux modes, on enterre un auteur qu'on a porté au pinacle, et on le redécouvre trente ans ou un siècle après. Oui, ai-je dit, c'est un peu comme les fringues. Avant on avait des cols pelle à tarte et des pattes d'eph', puis tout d'un coup ça a paru ringard, et aujourd'hui ça se retrouve dans les boutiques spécialisées, où on te le vend dix fois le prix que ça coûtait à l'époque. Je connais une fille, une copine de ma sœur, elle est folle de ces fripes, elle ne s'habille plus qu'avec ça, tu sais, les motifs géométriques, les tons brun et orange, ou vert et bleu, moi quand je la vois habillée ainsi, ça me fait penser aux papiers peints qu'il y avait chez mes parents. Excuse-moi, je t'ai interrompu. Tu disais que toi, tu étais resté, euh, existentialiste. Mais si tu m'expliquais d'abord ce que c'est, l'existentialisme? Le type n'a pas répondu tout de suite. Visiblement ma comparaison n'avait pas dû lui plaire, aussi me suis-je promis de l'écouter et de ne plus lui couper la parole. L'existentialisme, a-t-il repris, dit que l'existence précède l'essence, d'où son appellation. En d'autres termes, l'homme n'est pas entièrement prédéterminé, il peut forger son destin et pas seulement le subir. Il dispose pour cela d'une certaine marge de manœuvre. Cette marge, c'est ce qu'on appelle le libre arbitre. L'existence est la somme des actes que nous posons. À chaque instant, nous pouvons choisir de faire telle chose ou de ne pas la faire. Simone de Beauvoir, la compagne de Sartre, a dit : on ne naît pas femme, on le devient. En ce sens, l'existentialisme est une philosophie fondamentalement optimiste, puisqu'elle dit que notre destinée n'est pas écrite dans les astres, mais qu'elle est ce que nous décidons qu'elle doit être.

Quand je l'ai entendu dire ça, je me suis fait la réflexion que le type n'avait pas l'air tellement optimiste, qu'en général les gens optimistes ne pensent pas à se suicider, mais j'ai gardé cette remarque pour moi. Chaque fois qu'il employait un nouveau mot, je lui faisais signe de l'index vers le journal pour qu'il l'écrive. Le reste du temps, il remplissait les marges avec des flèches, des rectangles et des points d'interrogation, comme s'il essayait de se rappeler le plan du cerveau humain. C'est très intéressant, ai-je fait. Tu ne pourrais pas me donner un exemple? Un exemple comme quoi on mène sa barque de la manière qu'on l'entend? Ce n'est pas tout à fait ce que j'ai dit, a-t-il rectifié, mais peu importe. Prenons le cas du nazisme. Après la guerre, quand on a jugé les principaux dirigeants, tous ont prétendu qu'il n'étaient pas coupables. Ils n'avaient fait qu'obéir aux ordres de leurs supérieurs, ils étaient de simples rouages de la grande machine de mort. Ainsi, ils se dégageaient de toute responsabilité personnelle. La position de l'existentialisme est au contraire de dire qu'ils avaient le choix de leurs actes. Ils pouvaient désobéir, en fuyant le régime totalitaire ou en organisant la résistance intérieure. Mais, à de rares exceptions près, aucun d'entre eux n'a pris cette décision, ils se sont contentés de courber l'échine et de servir la folie exterminatrice de Hitler. Il y a une formule de Sartre très célèbre, dans laquelle il dit que l'enfer, c'est les autres. Ça, c'est bien vrai, ai-je approuvé. Avec mon ex-femme, c'était l'enfer tous les jours de la semaine. Remarque, dans un sens, s'il n'y avait pas les autres, on s'emmerderait fameusement tout seul. Pardon, je t'ai encore interrompu, je te promets que c'est la dernière fois. Donc tu disais, enfin Sartre disait, que l'enfer c'est les autres. Cette formule, a repris le type, visiblement irrité par mes interventions, a souvent été comprise de travers, comme tu viens de le faire à l'instant même. Elle ne signifie pas du tout que le malheur nous vient par la faute des autres, mais que c'est nous qui faisons notre propre malheur, en nous laissant dicter notre comportement par l'opinion d'autrui. Tu saisis la différence? Oui, ai-je dit, il me semble. Pour garder notre exemple, a-t-il continué, les officiers nazis ont créé l'enfer en s'interdisant de penser par eux-mêmes, en s'identifiant totalement à la personne du Führer et en reprenant ses valeurs à leur compte. Dans ce cas, Hitler a joué à lui seul le rôle des autres, il a été le grand Autre, l'Autre avec majuscule, par opposition aux petits autres, aux autres minuscules qu'étaient ses subordonnés. Cette fascination pour la personne du chef, du totem, du grand Autre est une chose qu'a très bien montrée Syberberg dans son œuvre monumentale, *Hitler, un film d'Allemagne*, tu en as peut-être entendu parler. Euh, ai-je dit, il est passé à la télé récemment? Cela m'étonnerait, a-t-il répondu. Syberberg est un cinéaste aujourd'hui injustement oublié. Un peu comme Sartre? ai-je risqué. Oui, a dit le type, sauf que Sartre était philosophe et pas cinéaste, alors que Syberberg était plutôt cinéaste que philosophe. Mais si cela t'intéresse, je te prêterai les DVD. Super, ai-je dit, je me réjouis de les voir. Ah non, merde, mon lecteur est en panne, il s'arrête toutes les cinq minutes. Dans ce cas, tu as intérêt à le faire réparer, a dit le type, parce que le film de Syberberg dure plus de sept heures. Sept heures, je me suis écrié. Putain, un film de sept heures, il me faudra un mois pour arriver au bout, déjà qu'avec un film de deux heures je m'endors avant la fin.

Une chance pour moi, le type n'a pas entendu ma remarque, parce qu'en voulant s'allumer une cigarette, je ne sais pas comment il a fait au juste, sans doute qu'il avait joué avec la molette de son briquet, une flamme a jailli comme de la gueule d'un dragon, elle devait bien faire quinze centimètres de haut, à la suite de quoi sa barbe a commencé à prendre feu, finalement il s'en est tiré avec quelques poils roussis et une brûlure superficielle sur la joue. Bon, ce n'était pas drôle, mais j'ai vraiment dû faire un effort pour ne pas rire, surtout quand je l'ai vu éteindre le début d'incendie en se donnant des tapes sur la figure. Après tout le tralala qu'il avait imaginé, ç'aurait été assez farce que ses habits brûlent et qu'il finisse carbonisé comme un bonze, une façon de mourir à laquelle il n'avait sûrement pas réfléchi. Il a avalé deux nouveaux comprimés et est resté un moment sans rien dire, l'air furieux de s'être montré dans une position aussi humiliante.

Quand il a été remis de ses émotions, il m'a demandé si j'avais suivi ses développements, et si je voulais qu'il continue avec la philosophie. J'ai répondu que oui, j'avais compris presque tout, sauf à la fin quand il avait parlé des autres, qu'il y en avait de deux sortes, des petits et des grands, là j'avais légèrement décroché. Je lui ai suggéré de prendre un exemple actuel, parce que l'histoire avec le nazisme ça commençait à remonter, ce n'est pas tous les jours qu'on rencontre des situations pareilles. Il a rebondi sur le mot «situations» que je venais d'employer, il a dit que Sartre avait appelé un de ses livres ainsi, et j'étais retombé dessus tout naturellement, je dois reconnaître que j'étais assez fier de moi. Mais mon enthousiasme n'a pas duré longtemps, parce que quand il est venu avec son exemple, j'ai compris que j'aurais mieux fait de me mordre la langue. Imaginons quelqu'un qui se rend coupable d'une négligence, a-t-il dit. Une négligence qui met en danger la vie d'une autre personne, ou qui la laisse gravement handicapée. Cette autre personne a-t-elle le droit de se venger du préjudice subi? Sa liberté l'autorise-t-elle à se faire justice elle-même? Que répondrais-tu à cela? Évidemment, je n'ai pas manqué de saisir l'allusion. Pour moi, ai-je dit, la réponse est non. Pourquoi? a-t-il demandé. Au nom de quel principe peux-tu être aussi catégorique? Parce que, ai-je dit, il y a la justice, c'est à elle de juger le coupable. Et si la justice, faute de preuves suffisantes, décide d'acquitter le coupable, ou plus exactement le prévenu? Dans ce cas on doit respecter la décision de la justice, ça me paraît clair. Admettons. Maintenant, envisageons les choses du point de vue de l'auteur de la négligence. Il sait qu'il a commis une faute, que d'une manière ou d'une autre, sa responsabilité est engagée dans l'accident. Il sait aussi qu'il lui est possible de dissimuler les faits, que personne d'autre que lui ne pourra établir sa culpabilité. Ne penses-tu pas que c'est son devoir moral de se dénoncer à la justice? S'il a vraiment commis une négligence, oui. S'il ne l'a pas commise, ou s'il n'en est pas sûr de l'avoir commise, ou s'il est incapable de se rappeler s'il l'a commise ou pas, alors non. Mais enfin, s'est exclamé le type, il doit se le rappeler, ce n'est pas possible autrement. Il était sur place, c'est lui qui a fait le travail, il sait ce qu'il a fait et ce qu'il n'a pas fait, les gestes qu'il a eus et ceux qu'il n'a pas eus. Le liquide de freins, il sait s'il l'a remplacé ou non. Si tel n'est pas le cas, que devient notre raison là-dedans? Que devient la conscience que nous avons de nous-mêmes, de nos actes, de nos attitudes? Pour parler comme Sartre, nous devons toujours rester maîtres de la situation, et puis merde à la fin.

En disant cela, il s'excitait de plus en plus, il avait quelque chose d'halluciné dans le regard, pareil que s'il venait de prendre une dose de LSD. Pour un type qui parlait de raison et de conscience, il n'avait pas l'air tellement maître de lui-même. Mais sans doute qu'il voulait parler des nerfs des autres, pas de ses nerfs à lui. Sartre disait l'enfer c'est les autres, eh bien moi je disais le nerf c'est les autres, justement ça tombait bien, ça s'écrivait avec les mêmes lettres. Je n'ai pas pu m'empêcher de lui faire part de ma trouvaille. Il m'a toisé comme si j'étais une apparition, un extraterrestre débarqué de sa planète lointaine. Typiquement lacanien, a-t-il laissé tomber. Pardon? ai-je dit. J'étais sûr que tu étais structuraliste, a-t-il continué, je m'en suis douté depuis le début. J'ai jeté un coup d'œil sur les notes qu'il avait écrites, j'en ai conclu que ce n'était pas un compliment, structuraliste c'était le mauvais rectangle, celui dans lequel il ne fallait pas se trouver, à côté il y avait un gros point d'exclamation, et moi je venais sans le savoir de passer dans le camp de l'adversaire. J'ai protesté en disant que pas du tout, moi non plus le structuralisme je ne le sentais pas trop, à choisir je préférais de loin l'existentialisme, c'était un malentendu à dissiper au plus vite. Afin de lui prouver ma bonne volonté, je lui ai demandé ce qu'on devait faire pour devenir existentialiste. S'il faut prendre sa carte et payer sa cotisation, ai-je dit, tu n'as qu'à me donner le formulaire, je le remplis tout de suite. J'imagine déjà la tête des flics, le jour où ils voudront me mettre la main dessus, je leur sors ma carte et je leur dis comme ça, je suis existentialiste, vous n'avez pas le droit de me toucher. Bien entendu, je disais ça à la rigolade, je ne pensais pas sérieusement que ça marchait ainsi, que l'existentialisme était comme une sorte de syndicat, qu'il suffisait d'avoir sa carte de membre et de payer sa cotisation pour en faire partie. Mais le type, comme je l'ai déjà dit, n'avait pas tellement le sens de l'humour, surtout quand on touchait à sa maîtresse la philosophie. Aussi me suis-je abstenu de continuer sur ce ton, il valait mieux que je revienne à ma première idée, qui était de l'amadouer pour récupérer le flingue, pas de me payer sa tête en faisant le malin.

Pendant ce temps, le type n'arrêtait pas de passer la main sur sa joue, à l'endroit où sa barbe avait commencé à flamber. Je lui ai demandé si ça le démangeait, il m'a répondu que non, ça le brûlait plutôt. J'ai dit que dans ces cas-là, le mieux était de frotter avec une pomme de terre crue, c'est ainsi que faisait ma grand-mère à la campagne. Parce que tu t'imagines que je me promène avec des pommes de terre dans les poches? s'est-il emporté. Il y a aussi le plantain, ai-je dit, ça marche pour les piqûres, ça devrait marcher aussi pour les brûlures. Je me suis mis à en chercher dans les environs, mais il n'y en avait pas, du moins pas de la bonne espèce, celle avec les feuilles larges. Qu'est-ce que tu fiches? a demandé le type. Je cherche du plantain, ai-je répondu. Fous-moi la paix avec ton plantain, a-t-il bougonné. Je n'ai pas insisté, s'il préférait continuer à souffrir, après tout c'était son problème. Il s'est allumé une Gitane et s'est mis à tirer dessus comme un malade. Par curiosité j'ai compté le nombre de bouffées qu'il lui fallait pour arriver au bout. La réponse était cinq, pas une de plus. Comme il voyait que je le regardais, il a dû penser que j'en voulais une aussi, il a jeté le paquet sur le pare-brise. J'ai pris une cigarette et j'ai compté mes bouffées, moi il m'en fallait le double, dix très exactement.

Il me vient une idée, ai-je dit, rapport à cette petite discussion qu'on vient d'avoir. Tu vas peut-être trouver que ce n'est pas une bonne idée, que je suis complètement à côté de la plaque, mais je te la dis quand même. Pourquoi est-ce que tu ne ferais pas un bouquin pour expliquer à quoi sert la philosophie? Pas un bouquin destiné aux autres philosophes ou aux gens qui ont fait des études universitaires. Un bouquin que tout le monde pourrait lire, que même un ignare comme moi pourrait lire, vu qu'il serait écrit avec des mots de tous les jours, sans aller chercher midi à quatorze heures. Je te dis ça parce que, pendant que j'étais en train de t'écouter, même moi j'avais l'impression de tout comprendre, enfin presque. Tu pourrais me donner des leçons, ainsi on ferait d'une pierre deux coups : moi je deviendrais un peu moins inculte, et toi ça te ferait de la matière pour ton livre. Tu écrirais ça sous forme de questions-réponses, en partant de situations de la vie courante, des situations que chacun peut rencontrer à un moment ou à un autre. Je repense à ce que tu racontais à propos de ton père, quand tu m'as expliqué qu'en plus de son travail d'ingénieur, il écrivait pour ses amis des petits livres sur les philosophes de l'Antiquité, pour leur montrer que ça pouvait encore intéresser les hommes de maintenant. Toi, tu pourrais faire pareil mais en mieux, avec tout ce que tu as déjà réfléchi, tu le battrais à plate couture. Si tu écrivais un bouquin comme ça, je te parie que ça marcherait à fond la caisse, ça rendrait service à un tas de monde, les étudiants, les concierges, les retraités, les chômeurs, que sais-je encore. Je suis sûr que ça ferait un tabac, ils se précipiteraient tous pour aller l'acheter à la librairie. Qu'est-ce que tu penses de mon idée? Bien entendu, les leçons je te les payerais, il n'y a pas de raison que tu me les fasses à l'œil. En échange, toi tu me filerais un exemplaire avec ta signature, ou alors tu mettrais mon nom à la fin, écrit en petits caractères dans les remerciements.

Le type n'avait pas cessé de hocher la tête, mais impossible de savoir ce que ça signifiait, s'il approuvait ce que je venais de dire, ou si au contraire il trouvait ça parfaitement idiot. C'est sûrement une bonne idée, a-t-il fini par lâcher. J'attendais la suite avec impatience, car comme je connaissais l'apôtre, je me doutais bien qu'après avoir trouvé que mon idée était bonne, il allait trouver une raison encore meilleure pour dire qu'elle ne l'était pas tant que ça. Et naturellement ça n'a pas manqué. C'est une bonne idée, a-t-il continué, sauf que ce livre existe déjà. C'est le problème avec les bonnes idées, il se trouve toujours quelqu'un pour les avoir avant vous. Je lui ai demandé quel était le saligaud qui nous avait fauché notre belle idée. Il m'a cité un nom plein de consonnes, genre islandais ou norvégien, qu'il n'a pas noté sur le journal et que naturellement j'ai oublié. Bon, ai-je dit, je ne connais pas ce type, et je n'ai pas lu son livre, donc difficile d'avoir un avis sur la question. Mais je crois que si toi, tu écrivais un livre sur le même sujet, tu ferais quelque chose de tout à fait différent. Sans mentir, je suis certain que le tien serait dix fois meilleur. Comment peux-tu le savoir? a-t-il fait. Tu n'as pas lu son livre, et moi je n'ai pas écrit le mien. Pour te le dire comme je le pense, tu racontes n'importe quoi. Ben voyons, me suis-je dit, c'est bien sûr, je raconte n'importe quoi. Et toi, tu ne racontes pas n'importe quoi, vu que tu ne racontes rien du tout, tu préfères rester assis sur ton cul à rien foutre, ainsi au moins tu ne risques pas de te tromper. La vérité c'est que, même si je lui avais dit le contraire, moi la philosophie je n'en avais strictement rien à battre. J'avais bien vécu jusqu'ici sans elle, sans même savoir qu'elle existait, et ça ne m'avait pas manqué une seule seconde. Quelqu'un m'aurait dit que je me trouverais un jour, ou plutôt une nuit, dans un site de démolition de bagnoles, par un temps à ne pas mettre un chien dehors, à causer philosophie avec un expert automobile dépressif, je lui aurais répondu qu'il était devenu fou. Et pourtant, c'est bien ce qui était en train de se passer. J'imaginais mes anciens potes du garage, si jamais ils avaient appris ça, ils se seraient drôlement fichu de ma gueule, dix ans après ils n'auraient pas encore fini d'en faire les gorges chaudes.

18

Je me suis levé et j'ai fait quelques pas. Où vas-tu? a demandé le type. Si tu n'y vois pas d'objection, ai-je répondu, je dois satisfaire un besoin naturel. Ne t'en fais pas, je ne vais pas m'en aller, le temps de poser ma crotte et je suis de retour parmi nous. Il a grommelé une phrase que je n'ai pas comprise. J'ai soulevé le grillage et je me suis éloigné en boitillant, à cause de ma cheville qui me faisait toujours aussi mal. J'ai longé une baraque à moitié déglinguée, puis un entrepôt rempli de planches de bois brut qui servaient à fabriquer des palettes. Dans un coin, il y avait un monticule avec des chutes de scierie, des morceaux d'aubier et d'écorce, c'était là que le type devait venir faire son marché. J'ai continué à avancer une minute ou deux, lorsque tout à coup, au détour d'un bâtiment en parpaings, j'ai aperçu une forme blanche et basse, qui semblait être celle d'un petit véhicule. Je me suis demandé à qui il appartenait – cela ne pouvait pas être la voiture du type, qui circulait à bord d'une Mercedes. Tandis que je m'en approchais, mon cœur s'est mis à battre de plus en plus fort. Quand j'ai été à une dizaine de mètres, j'ai failli tomber à la renverse, tant ce que je voyais me paraissait incroyable. Je me suis demandé si j'étais victime d'une hallucination, après tout l'alcool que j'avais avalé ces dernières heures, il a fallu que je pose la main sur la voiture pour être certain que je ne rêvais pas. Ce que j'étais en train de toucher n'était rien d'autre que la Triumph, la Triumph TR5 de la petite annonce, que le type m'avait proposé de remettre en état. Sauf que, et c'était là le plus stupéfiant, celle-ci était parfaitement intacte. La carrosserie luisait et les chromes brillaient sous la lumière de la lune. Pas une tôle froissée, pas la moindre égratignure, même pas une tache de boue – elle avait l'air aussi neuve que si elle sortait de l'atelier de construction.

J'en ai fait le tour en laissant traîner les doigts sur le métal. Je me suis mis à lui parler, à murmurer des mots affectueux et rassurants, comme à un animal qu'on veut apprivoiser. Et pendant que je lui parlais ainsi, je sentais les larmes me monter aux yeux. Une vague d'émotion m'a submergé, je me suis mis à sangloter comme un môme, le front appuyé contre la tôle froide. Il m'a fallu un bon moment pour me ressaisir. La portière étant fermée à clé, j'ai défait les boutons de la capote et je me suis glissé à l'intérieur. Les sièges étaient gainés de rouge, ils sentaient encore le cuir neuf, malgré l'odeur du tabac et le cendrier débordant de mégots. Je n'ai pas pu me retenir de les toucher, de caresser leurs formes rebondies, les rondeurs formées par les piqûres blanches. J'ai posé ma tête sur le siège passager et j'ai respiré longuement son odeur. Je ressentais une sorte de volupté presque érotique, comme on peut en éprouver avec une femme. Mais ce n'était pas la même sensation qu'avec mon ancienne voiture. Pour reprendre mon idée de tout à l'heure, celle de la femme et de la maîtresse qui avait plu au type, je dirais que la TR3 rouge était vraiment ma femme, tandis que la TR5 blanche était plutôt ma maîtresse, ou du moins une maîtresse possible. Car elle appartenait à quelqu'un d'autre, et même si j'arrivais à m'y habituer, même si une intimité finissait par naître entre nous, cela resterait toujours une relation illégitime.

J'ai été tiré de mon extase par un bruit tout proche. J'ai laissé passer quelques secondes, le bruit s'est répété une première fois, puis une deuxième. Je me suis penché sous le tableau de bord : un crapaud avait sauté sur le paillasson et coassait en faisant gonfler démesurément son cou. Cette présence incongrue m'a ramené à la réalité, et des questions plus prosaïques se sont posées à moi. À commencer par celle-ci : pourquoi le type, quand il avait évoqué la Triumph, m'en avait-il parlé comme d'une épave? Cette voiture était en parfait état de marche, elle avait même été refaite à neuf récemment. Non seulement elle avait été refaite à neuf, mais on l'avait dotée des derniers perfectionnements techniques, GPS, airbag, lecteur de CD et amplis stéréo. Pour moi, c'était un peu une hérésie, un caprice de propriétaire fortuné, une voiture ancienne n'avait que faire de tous ces gadgets, l'intérêt était au contraire de la remettre autant que possible dans son état d'origine. Quant à la réponse à ma question, elle était assez évidente, et confirmait ce que j'avais déjà pressenti. Le type avait utilisé ce moyen pour m'attirer et m'amener à accepter son autre demande, en mêlant des petits bouts de vérité avec des gros bouts de mensonge. La Triumph existait bel et bien, mais elle ne nécessitait aucune réparation. Quant à savoir si elle avait été accidentée, il m'était impossible de le dire avec certitude, et d'ailleurs ça m'était assez égal. Le ravissement de tout à l'heure avait fait place à un sentiment de frustration. Je n'allais pas m'occuper de cette voiture pour lui rendre une seconde jeunesse. Je n'allais pas passer des semaines en sa compagnie, à la faire renaître par le travail de mes mains, ni recevoir en échange un salaire honnêtement gagné. Tout ce que je pouvais faire, histoire de me venger de cette duperie, c'était de m'offrir une virée avec elle, de tromper le type en me tirant avec sa maîtresse.

Encore fallait-il pour cela que j'arrive à la mettre en marche. Bien entendu, les clés n'étaient pas sur le contact, le type devait les avoir prises avec lui. Ce n'était pas un problème, il suffisait de la faire démarrer avec les fils électriques. Ce qui par contre en était un, c'est qu'il y avait un blocage à la direction, et que pour le faire sauter il me fallait des outils. Le coffre était verrouillé, inutile de chercher de ce côté-là. J'ai regardé sous les sièges, dans la boîte à gants et dans les vide-poches, mais je n'y ai rien découvert d'utilisable, pas l'ombre du plus petit tournevis. En fouillant sous le tableau de bord, j'ai trouvé des papiers d'assurance, des cartes routières, une barre de céréales à demi entamée, des pièces de monnaie et des jetons en plastique, de vieilles disquettes d'ordinateur, ainsi qu'un tas de bidules sans intérêt. J'ai aussi trouvé un Filofax : plusieurs rendez-vous étaient inscrits à la date du jour, dont un marqué d'une croix avec une nommée Christelle, mais aucun qui concernait notre affaire. J'ai poussé sur la touche « play » du lecteur de CD, une musique de jazz s'est répandue dans l'habitacle, je l'ai arrêtée au bout de quelques instants, c'était tellement soporifique que j'avais peur de tomber endormi. Je n'aurais pas voulu que le type, en ne me voyant pas revenir, se lance à ma recherche et me trouve en train de roupiller dans sa voiture, après m'y être introduit par effraction. Je m'étonnais d'ailleurs qu'il ne se soit pas encore manifesté, je ne savais pas exactement depuis combien de temps j'étais là, mais à mon avis cela devait faire pas loin d'une demi-heure.

En partant, j'ai noté le numéro d'immatriculation, je me suis dit que ça pouvait toujours servir. Je me suis éloigné pour soulager mes intestins, je ne voulais pas faire ça en présence de la Triumph. Pendant que je besognais, le froc baissé sur les talons, je me suis mis à écouter le silence. Au début, on n'entendait rien du tout, puis si on faisait un peu plus attention, on s'apercevait que ce silence n'en était pas un, qu'il y avait toutes sortes de bruits à l'intérieur, certains qu'on pouvait reconnaître et d'autres pas. Il y en avait qu'on n'entendait que par moments, le frôlement d'ailes d'oiseaux nocturnes ou de chauves-souris, un train qui faisait aller son klaxon dans le lointain, le chuintement des camions sur l'asphalte mouillé de l'autoroute. Et puis derrière tout ça, il y avait une espèce de bourdonnement qui montait du sol, comme si la terre s'était mise à vibrer très doucement, comme si des milliers de vieilles machines qu'on ne voyait pas tournaient au ralenti. Je me suis torché avec une feuille de bardane et j'ai fait le chemin en sens inverse. À ce moment, un rat est passé juste devant moi, il s'est arrêté un instant au milieu de l'allée, puis il a repris sa course et a disparu dans un bouquet de joncs. Je ne suis pas du genre superstitieux, enfin pas plus que la moyenne des gens, n'empêche que ça ne m'a pas paru un bon présage. J'ai éternué plusieurs fois de suite, il faisait un froid de canard, le vent soufflait comme un furieux, et pour tout arranger il s'était remis à pleuvoir. J'aurais bien couru un peu pour me réchauffer, mais c'était impossible à cause de ma cheville. Tout en marchant, je me demandais comment j'allais pouvoir me tirer de ce maudit endroit. Parce qu'il fallait pour cela que je réussisse à me procurer le flingue, et que je n'avais toujours pas la moindre idée sur la manière d'y parvenir.

19

Quand je suis arrivé au campement, j'ai aperçu le type assis sur son siège. Il ne semblait pas avoir bougé depuis que j'étais parti. Une de ses mains était plongée dans la poche de son imperméable, l'autre reposait sur le dossier au bout de son bras tendu. Sa tête était penchée sur le côté, il avait la bouche entrouverte, ses lèvres bougeaient un peu. J'ai pensé qu'il devait s'être assoupi, mais peut-être faisait-il seulement semblant, avec lui on ne pouvait jamais être sûr de rien. C'est alors que j'ai vu la forme sombre et compacte du revolver sur le pare-brise. Quatre ou cinq mètres à peine m'en séparaient. J'ai continué à avancer avec un maximum de précautions, en observant un temps d'arrêt après chaque pas et en tâtant le sol du pied pour ne pas faire craquer les brindilles. On n'y voyait pas grand-chose, la pluie avait presque éteint le feu, de gros nuages voilaient l'éclat de la lune. Je n'étais plus qu'à un bon mètre du revolver et le type n'avait toujours pas changé de position. J'ai retenu mon souffle, j'hésitais sur la tactique à suivre : me précipiter sur le flingue et m'en emparer avant que le type ait eu le temps de réagir, ou poursuivre ma progression jusqu'au moment où je n'aurais plus qu'à le cueillir en douceur. J'ai pensé que la deuxième solution était préférable, en bondissant sur lui je risquais de manquer mon but, tandis qu'en y allant prudemment j'avais des chances d'y arriver.

À l'instant même où j'allais toucher le revolver, le type s'est redressé d'un coup, l'une de ses mains m'a enserré le poignet, tandis que de l'autre il me braquait sa lampe torche dans la figure. L'ensemble de la manœuvre n'avait pas duré plus d'une demi-seconde, ce qui m'a fait penser qu'il ne dormait pas, qu'il m'avait sans doute épié depuis le début, j'avais dû avoir l'air malin avec mes ruses de Sioux. Qu'est-ce que tu fiches? a-t-il demandé d'une voix agressive, tout en me tordant le poignet pour me faire lâcher l'arme. Aïe, ai-je hurlé, tu me fais mal, j'ai déjà le pied foutu, s'il te plaît ne me – aïe, aïe. Hein, qu'est-ce que tu fiches? a-t-il répété, en desserrant un peu son étreinte. Rien, ai-je dit, je t'assure. Ne me prends pas pour un crétin, a-t-il rugi. Tes petites manigances ne m'ont pas échappé. Tu as essayé de subtiliser ce revolver pour t'en servir contre moi. Hein, mon salaud, c'est ça que tu as essayé de faire? Je te jure que non, ai-je protesté. Alors pourquoi t'intéresses-tu tellement à lui? a-t-il dit en me serrant le poignet de plus belle – s'il continuait ainsi, il allait me le casser pour de bon. Comme ça, ai-je répondu. Je voulais juste jeter un coup d'œil. Savoir quel modèle c'était exactement.

Je m'étais dit qu'en le branchant sur les armes, vu que son père avait fait de la balistique, et vu la vénération qu'il avait pour son père, ça le mettrait peut-être dans un meilleur état d'esprit. Je ne me faisais aucune illusion sur mes chances de réussir. Mais contre toute attente, il a relâché son étreinte et m'a libéré le poignet. Il a saisi le revolver, l'a posé dans la paume de sa main et l'a regardé comme s'il ne l'avait jamais vu. Smith & Wesson calibre 38, a-t-il dit, presque avec autant de respect que s'il avait prononcé le nom de Sartre ou de l'autre type, celui qui avait fait le film de sept heures. J'aurais pu le dire à sa place, que c'était un Smith & Wesson calibre 38, pour la bonne raison que j'en avais moi-même possédé un autrefois, je m'en étais débarrassé quand j'avais commencé à avoir des ennuis avec les flics. Par ailleurs, c'était un revolver tout à fait courant, le genre de feu dont se servent les malfrats, parce qu'on peut se le procurer facilement au marché noir. Ah, ai-je fait, un Smith & Wesson calibre 38. Je lui ai demandé ce qu'il avait de spécial, pourquoi il avait acheté celui-là plutôt qu'un autre. Je ne l'ai pas acheté, a-t-il répondu, j'en ai hérité à la mort de mon père. Il en avait toute une panoplie, des armes à feu et des armes blanches, pour la plupart anciennes. Il les gardait dans une vitrine, il y avait des baïonnettes, des poignards recourbés, des fusils à pompe, des colts incrustés d'ivoire, et aussi des lances et des arcs à flèches suspendus au mur. Et il lui arrivait de s'en servir? ai-je demandé.

Enfin, pas contre des gens, seulement pour s'exercer? Non, a dit le type, il les collectionnait mais ne les utilisait pas, ce qui l'intéressait était de comprendre le mécanisme. Quand il avait un après-midi libre, il étendait un linge sur la table, il sortait ses clés et ses tournevis et les démontait entièrement. Il les passait au papier de verre fin, versait quelques gouttes d'une burette d'huile, frottait les parties extérieures avec un chiffon et puis les remontait pièce par pièce. J'aimais bien l'observer, j'étais fasciné par ses gestes précis et méticuleux, on aurait dit un chirurgien en train d'opérer un malade. Pendant qu'il travaillait, il m'expliquait ce qu'il était en train de faire, il disait le nom de chaque élément, à quoi il servait et comment il fonctionnait. Parfois il se lançait dans un petit cours d'histoire, il racontait pourquoi une arme avait remplacé une autre, les avantages qu'avait apportés telle ou telle invention, et le plus souvent cela se terminait de la même manière, par une réflexion sur l'ingéniosité dont les hommes avaient toujours fait preuve quand il s'agit de tuer leurs semblables. Le plus curieux de l'affaire, c'est que mon père était un pacifiste convaincu, pour rien au monde il n'aurait levé une arme contre quelqu'un. C'était un homme plein de contradictions, mais je suis persuadé qu'il ne le savait pas lui-même.

Il s'est arrêté de parler, a mis le revolver dans sa poche et s'est éloigné pour aller chercher du bois. Pour ce qui est des contradictions, le type avait de qui tenir – comme dit le proverbe : tel père, tel fils. Je me demandais s'il en avait conscience, si sa philosophie l'aidait à le comprendre, ou si au contraire elle lui servait plutôt à s'aveugler. En revanche, il y a une chose dont j'étais sûr que lui, le type, n'avait pas conscience. Et cette chose, c'était que non content de lui avoir empoisonné la vie, son père était aussi en train de lui empoisonner sa mort. Au moment où il s'apprêtait à tirer un trait sur son existence, à supposer qu'il n'ait pas de nouveau changé d'avis, son père était encore présent, il était même plus présent que jamais. Ça me rappelait la scène qu'il avait racontée, le jour où il lui avait annoncé qu'il serait expert automobile, que tout en l'écoutant son père était en train de jouer avec un coupe-papier, et quand il était sorti du bureau il avait eu l'impression qu'il allait le lui planter dans le dos. Je ne sais pas pourquoi cette image m'avait tellement frappé, peut-être parce qu'elle m'avait fait venir une autre image, dans laquelle son père ne le poignardait pas dans le dos, mais lui tendait le poignard en lui disant, tiens, plante-le toi-même. Sur le moment ça m'avait paru absurde, mais maintenant que j'y repensais, je me disais que c'était exactement ça. À ce détail près qu'il ne s'agissait plus d'un coupe-papier, mais d'un calibre 38. Son père le lui avait légué, et cette arme que son père lui avait léguée, c'est elle qu'il avait choisie pour se donner la mort, ou pour se la faire donner par quelqu'un d'autre.

J'ai été tiré de mes réflexions par le type qui se ramenait les bras chargés de planches. Tu sais quoi? a-t-il demandé. Non, ai-je répondu. Ce bois, tu sais à quoi il sert? Tu ne devineras jamais. À faire des palettes, ai-je dit. Pas du tout, a-t-il répondu. À faire des cercueils. Si tu ne me crois pas, tu n'as qu'à aller voir toi-même. J'ai failli lui dire que c'était déjà fait, heureusement j'ai réussi à me retenir. Et puis ce que j'avais vu, c'était du bois blanc, du bois non raboté, juste bon pour le gros œuvre, donc on ne devait pas parler de la même chose. Regarde, a-t-il dit, c'est du chêne. Du chêne de première qualité. La scierie là-derrière, c'est une fabrique de cercueils. Il a pris une planche et me l'a montrée. Oui, ai-je dit, tu as raison, c'est du chêne. Sans blague, qu'est-ce que ça pouvait me foutre, que ce soit du chêne ou du platane ou de l'arbre à fromage. Eh bien, ai-je dit, au train où tu y vas, tu risques d'avoir un belle ardoise chez le fournisseur. Il a posé les planches l'une contre l'autre pour former une sorte de tipi, puis il a froissé quelques pages de journal qu'il a glissées en dessous, le bois s'est embrasé en crépitant et bientôt il en est sorti des flammes hautes d'un mètre.

Ma montre indiquait quatre heures et demie, cela faisait donc à peu près neuf heures qu'on était là, et à mon avis on n'était pas près d'en sortir. À part un ou deux insomniaques, même les rats devaient dormir depuis longtemps à une heure pareille. J'avais l'impression d'être dans ce bourbier depuis une semaine, je me demandais si je retrouverais ma maison où je l'avais laissée, ou si on l'aurait démolie pour construire une station-service à la place. À ce moment j'ai pensé que s'il était quatre heures et demie, ça signifiait que j'étais presque au bout de mon calvaire, parce que d'ici deux ou trois heures les gars de la casse allaient se pointer et on serait bien obligés de lever le camp, en espérant que le type ne décide pas de continuer les festivités ailleurs. Mais mon soulagement a été de courte durée : je me suis rappelé que demain on était samedi, ou plutôt samedi c'était aujourd'hui, puisque à cette heure on était déjà demain, et qu'il m'aurait étonné que les gars en question bossent le week-end.

Tout d'un coup, le découragement m'est tombé dessus, comme si on m'avait mis sur les épaules un sac de cent kilos. Je me voyais déjà reparti pour une autre journée, et peut-être une autre nuit à la suite. Je commençais à mourir de faim, j'aurais dû penser à prendre quelque chose, des Pim's à l'orange, j'adorais les Pim's à l'orange, j'en avais toujours des réserves dans les armoires, pourquoi n'en avais-je pas emporté au moins une boîte ou deux? Il est vrai que je ne m'attendais pas à y passer la nuit, en principe je venais juste pour voir la voiture du type, le temps qu'il me montre le travail et j'étais de retour chez moi, je ne pensais pas que j'allais devoir ramper dans la boue, supporter un cours de philosophie existentialiste, endurer les jérémiades d'un maniaco-dépressif suicidaire et écouter des histoires de Turcs pervers et de caïds bulgares de la drogue. J'ai failli demander au type s'il n'avait rien à manger, je ne dis pas des Pim's à l'orange, mais n'importe quoi, une gaufre au sucre, des ananas en rondelles, une tablette de chocolat Kinder. J'étais prêt à les lui acheter, à les payer dix fois leur prix s'il le fallait, mais ce n'était même pas la peine de lui poser la question, le type devait être un ascète dans le genre Jésus-Christ, un de ces mecs capables de vous tenir des quarante jours dans le désert, rien qu'à bouffer des sauterelles et à boire l'eau des cactus. Et je vous parie que ça ne l'aurait même pas fait planer, qu'au lieu de voir des nuages en forme de jolies filles à poil, lui il aurait repassé ses équations pour calculer les vitesses d'impact. D'un autre côté, avec tout ce qu'il fumait et tout ce qu'il picolait, ça suffisait probablement à lui couper l'appétit. Moi, la faim, l'alcool et la fatigue commençaient à me faire délirer doucement, j'imaginais des façons de m'en sortir plus invraisemblables les unes que les autres. Espérer qu'une patrouille de police vienne faire un tour dans le coin. Prier pour qu'une météorite tombe sur le type, qu'elle le réduise en bouillie tout en m'épargnant. Être transformé en Superman et m'envoler d'un coup de cape magique. Fabriquer un double des clés de la voiture par la seule force de concentration de mon esprit. Trouver au fond d'un entrepôt une sarbacane avec des fléchettes enduites de curare. Faire surgir de mon chapeau une grenade ou un fusil mitrailleur ou un lance-roquettes.

Après avoir divagué ainsi un bon moment, je me suis dit qu'il fallait à tout prix que je me ressaisisse, que si je voulais avoir une petite chance de me tirer de là vivant, ce n'est pas avec des inepties pareilles que j'y arriverais. Sauf que parfois, se payer une bonne déconnade, ça aide à vous remettre les méninges d'aplomb. C'est ce qui a dû se produire, car aussitôt après il m'est venu une idée. Je me suis mis à interroger le type à propos de son flingue. J'ai fait le parfait innocent, celui qui n'y connaissait rien aux armes, qui grosso modo en était resté à la technologie du lance-pierres. Je lui ai demandé quelle était la différence entre un revolver et un pistolet – aujourd'hui, avec Internet et les encyclopédies en ligne, vous posez la question à un gosse de six ans, il vous rit au nez en se demandant quel genre de dinosaure vous êtes. Le type a froncé les sourcils et m'a regardé d'un air soupçonneux. Excuse-moi, a-t-il dit, mais tu n'es pas censé savoir t'en servir? Qu'est-ce qu'il se serait passé, tout à l'heure, s'il y avait eu de vraies balles dedans? Il se serait passé, ai-je répondu, que tu ne serais plus là pour me poser la question. Enfin, en principe. En principe, a-t-il demandé, ça signifie quoi en principe? Que si je n'avais pas réussi mon coup, je l'aurais raté, ai-je dit. Je t'ai déjà expliqué que je n'étais pas un violent. Quand tu as fait appel à mes services, c'était pour réparer une voiture, pas pour te mettre deux balles dans le crâne, c'est du moins ainsi que tu m'as présenté les choses. Alors ne t'étonne pas si je n'y entrave rien au maniement des armes. Mais justement, puisque j'ai la chance d'être avec un spécialiste, c'est l'occasion ou jamais de faire mon apprentissage, tu ne crois pas?

Le type s'est passé plusieurs fois la main dans les cheveux. Je sentais bien qu'il se méfiait, qu'il flairait l'entourloupe. Puis la fibre pédagogique a pris le dessus, et il s'est mis à m'expliquer à quoi servaient les différentes pièces du revolver, la manière de le charger et de le décharger, et ainsi de suite. Quand il a eu fini sa petite démonstration, je lui ai demandé de me montrer la position du tireur. Il s'est levé, a pris le revolver à deux mains et a fait mine de viser une cible mouvante. Sa position n'était pas du tout correcte, ainsi il n'aurait eu aucune chance de la toucher. S'il avait su que quelques années auparavant, j'étais capable de casser une bouteille de bière à quinze mètres, et qu'avec un peu d'entraînement j'aurais encore su le faire, je pense qu'il aurait tiré une drôle de tête. OK, ai-je dit, je crois que j'ai vu. Tu permets que j'essaie moi-même? Là il s'est mis à rire de façon saccadée et mécanique – ha, ha, ha, ha, ha, ha. Tu imagines m'avoir avec des ruses aussi grossières? Tu crois vraiment que je vais te donner cette arme? Pour que, dès que tu l'auras en ta possession, tu t'empresses de t'en servir contre moi? Mais enfin, ai-je explosé, ce n'est pas ce que tu voulais? Est-ce que tu sais au moins ce que tu cherches? Il a laissé passer quelques secondes avant de répondre. Il faisait sauter le revolver dans sa paume comme s'il avait été chauffé à blanc. J'ai changé d'avis, a-t-il dit calmement. Tout à l'heure, j'étais sûr de mon fait. Mais depuis que je parle avec toi, je me dis que ce n'est peut-être pas une bonne décision. Celle-là, c'est la meilleure, ai-je pensé. Des heures passées à lui tenir compagnie, à subir sans broncher ses caprices et ses états d'âme, pour l'entendre me dire que tout compte fait, en y réfléchissant bien, finalement et en définitive, il n'avait plus tellement envie de mourir. Je ne comprenais pas ce qui avait pu le faire changer d'avis. Parce que pour moi, à part qu'on avait perdu notre temps et notre salive, je ne voyais pas en quoi la situation était différente de ce qu'elle était quelques heures plus tôt.

20

J'ai ramassé une branche morte, je l'ai brisée entre mes mains et je l'ai jetée dans le feu d'un geste de dépit. Le type avait reposé le revolver sur le pare-brise pour s'allumer sa quarantième clope. Je n'avais pas envie de prolonger cette conversation, conscient que dans dix minutes il penserait le contraire de maintenant. C'est finalement lui qui a repris la parole. Il avait l'air tout à fait requinqué, je l'entendais rien qu'au ton de sa voix. Ce qui m'a fait reconsidérer ma position, a-t-il expliqué, c'est une chose que tu m'as dite. Qu'à mon âge tout n'était pas fini. Qu'il était encore temps de m'y mettre, de m'y mettre sérieusement, et de terminer ce que j'ai commencé. D'abord je ne t'ai pas cru, j'ai pensé que tu disais juste ça pour me remonter le moral. Puis je me suis mis à voir les choses autrement, et une évidence m'est apparue. Tout bien réfléchi, la philosophie n'est pas ma vocation. Je devrais plutôt écrire un roman, ou à tout le moins essayer. Qu'est-ce que tu penses de ça ? Il s'attendait sans doute à ce que je l'approuve, que je me mette à danser autour du feu en apprenant la bonne nouvelle. Mais comme dit le proverbe, chat échaudé craint l'eau froide. Il avait déjà si souvent changé son fusil d'épaule que je ne voyais aucune raison pour qu'il n'en change pas une fois de plus, aussi me suis-je contenté de l'approuver mollement. C'est possible, ai-je répondu. D'ailleurs je crois te l'avoir dit, ou si je ne te l'ai pas dit, je l'ai pensé. À condition de ne pas renoncer après cinq pages, tu pourrais faire un bon auteur de polar.

Le type a tiqué en entendant ce mot. J'avais fait exprès de l'employer, sachant que ça allait le faire réagir. Qui te parle de polar? a-t-il dit d'un air dégoûté, comme si je l'avais obligé à toucher une bestiole répugnante. Ce n'est pas du tout ça que j'ai en tête. Je sais que le polar est à la mode, tout le monde se croit obligé d'en écrire, même les ministres et les présentateurs de télévision, cela n'en reste pas moins un genre mineur, un divertissement et rien de plus. Peut-être bien, ai-je dit, en tout cas moi c'est ce que j'aime lire. Mieux vaut un polar bien fichu qu'un roman sentimental qui vous tombe des mains. Je ne pense pas non plus au roman sentimental, a-t-il répondu. Je pense au roman philosophique. Plus personne aujourd'hui n'écrit de roman philosophique. Il y a là un créneau à occuper, de plus ça me permettrait de rentabiliser mon acquis. Si plus personne n'écrit de roman philosophique, ai-je dit, c'est peut-être parce que plus personne ne veut en lire. Pourquoi se casser la nénette à écrire des romans pareils, si c'est pour deux pelés et trois tondus? Tu raisonnes comme un marchand, a-t-il répliqué d'une voix cinglante. La quantité n'est en aucun cas un critère valable. Je refuse de céder à la dictature du plus grand nombre. Si une œuvre a de la valeur, peu importe le genre auquel elle appartient, elle finira tôt ou tard par trouver son public.

Il avait l'air tellement sûr de lui que je n'ai même pas essayé de le contredire. Mon avis était qu'avec son roman philosophique, il allait surtout réussir à se planter d'une autre manière. Il ferait un machin qui ne serait ni chair ni poisson, au lieu d'une difficulté il y en aurait deux, il ne terminerait pas non plus ce bouquin-là, et au bout du compte il serait deux fois plus désespéré qu'avant. Je lui ai quand même suggéré de me donner un exemple, que je sache de quoi on parlait. Au lieu de me répondre, il m'a posé à son tour une question, il m'a demandé si j'avais déjà lu *La Montagne magique*. Il a indiqué le titre dans la marge du journal, par contre il a oublié de mettre le nom de l'auteur, en dessous de celui de Sartre et autres joyeux drilles. *La Montagne magique*, ça me disait vaguement quelque chose, mais je n'étais pas tout à fait sûr, je pensais à une histoire avec des elfes, des sages à barbe blanche et des dragons planqués dans des cavernes, genre *Le Seigneur des anneaux* que j'avais lu autrefois en bande dessinée. J'ai dit, ça se pourrait bien que je l'aie lu, mais rappelle-moi quand même de quoi ça parle, des fois que je confondrais avec un autre livre. Il a eu un petit sourire, sans doute qu'il pensait en lui-même, comme s'il en avait lu tant que ça des livres. Il m'a expliqué que ça se passait dans un sanatorium en Suisse, et je me suis dit qu'en effet on ne devait pas parler de la même chose. Pour ce que j'en ai retenu, ça avait l'air assez plombant comme histoire. En gros, c'étaient deux tuberculeux sur une montagne, ils se promenaient pendant des heures en échangeant leurs idées, ils n'étaient jamais d'accord sur rien, quand l'un disait une chose l'autre disait le contraire, et ainsi de suite jusqu'à ce que mort s'ensuive.

Pour ne pas être en reste, je lui ai parlé des romans de Stephen King. Je les avais lus presque tous, je lui ai demandé s'il connaissait. Il m'a dit que oui, enfin connaître était beaucoup dire, il avait essayé un jour d'en lire un, mais il n'était pas arrivé jusqu'au bout. Pourtant ce n'est pas difficile à lire, ai-je dit. Justement, a-t-il répondu, c'est trop facile, je ne vois pas où est l'intérêt. Et puis il y a le style. Cette façon d'aller à la ligne tout le temps. Ces phrases dont aucune ne fait plus de dix mots. Ton Stephen King, si tu veux que je te le dise, c'est de la littérature à l'usage des analphabètes, inutile de dévaster des forêts pour imprimer des livres aussi débiles. Là-dessus, il s'est mis à me parler d'un autre écrivain, un Autrichien ou un Allemand dont j'ai aussi oublié le nom, qui lui faisait des phrases de plusieurs pages, et sans mettre de paragraphe, et puis encore d'un autre, celui-là c'était un Colombien, je m'en souviens à cause de cette femme, Ingrid quelque chose, qui avait été prisonnière de la guérilla, on en avait justement reparlé à la télé le jour avant, et donc ce Colombien avait réussi à écrire tout un bouquin en une seule phrase, et puis après ça le type m'a parlé encore d'un autre qui avait fait la même chose mais en supprimant les majuscules et toute la ponctuation. Et ça, au type, ça lui paraissait formidable, comme si écrire un bouquin de cinq cents pages en une phrase et sans une seule virgule, ça suffisait pour qu'on crie au génie. Je lui ai répondu que c'était peut-être génial, je n'en savais rien vu je n'avais pas lu aucun de ces livres, et que ce n'était pas demain la veille que je risquais de le faire, mais que pour moi ce n'était pas un crime d'écrire des bouquins faciles à lire. Alors, histoire de le faire mousser un peu, je suis revenu avec mon exemple de Stephen King. Je lui ai sorti comme ça qu'avec ce que lui, le type, avait déjà écrit comme pages, Stephen King, des livres, il en aurait fait une douzaine, et que c'était peut-être un écrivain pour analphabètes, n'empêche que ses bouquins au moins ils existaient, et que moi je préférais lire des bouquins qui existent, plutôt que de discuter à perte de vue d'un bouquin qui n'existe pas et qui n'existera sans doute jamais.

Quand il a entendu ça, il s'est levé d'un air complètement furibard, mon idée de Stephen

King ne semblait pas lui plaire, mais alors pas du tout. Il marchait à grandes enjambées, il levait la main et l'agitait devant lui, pour finir il a dit d'une voix vibrante de colère, ton Stephen King, je lui pisse à la raie, tu m'entends ? Je n'en ai rien à branler de Stephen King, et de tes conseils non plus je n'en ai rien à branler. D'ailleurs je ne vois pas pourquoi je discute avec toi, si c'est pour entendre des conneries pareilles, autant arrêter tout de suite. Ouh là là, je me suis dit, je crois que je viens de le piquer au vif. Le type était en train de se lâcher, je ne l'avais encore jamais entendu parler comme ça. Lui qui ne disait pas une parole plus haut que l'autre, toujours avec ses phrases bien polies et ses mots qui sentaient le dictionnaire, voilà qu'il se mettait à causer comme tout le monde, c'était signe qu'il y avait du mieux. Vas-y, je lui ai dit, laisse-toi aller, toutes ces choses que tu gardes à l'intérieur, que tu rumines en toi depuis si longtemps, crache-les une bonne fois pour toutes, et ne t'en fais pas pour moi, je saurai me tenir à distance. Pour te dire la vérité, Stephen King je m'en fous aussi, je ne suis pas son frère ni son ange gardien, je te parlais de lui parce que c'est ce que je connais, mais dans le fond je m'en branle pareil que toi, alors branlons-nous ensemble de Stephen King.

21

Du coup, la colère du type est retombée comme un soufflé. En lui disant que je me fichais de Stephen King, ou de n'importe quel autre écrivain dans son genre, ou de n'importe quel écrivain dans n'importe quel genre, je venais en quelque sorte de lui couper l'herbe sous le pied, maintenant il n'avait plus personne pour râler dessus. En plus, ce que je lui avais dit, je le pensais vraiment, les livres dans le fond je m'en fichais, si tous ceux qui existent sur la terre venaient à disparaître, je ne n'en serais pas plus malheureux pour la cause, à la place je regarderais des films à la télévision, d'ailleurs c'est beaucoup moins fatigant. Ne le voyant toujours pas réagir, j'ai enfoncé le clou tant qu'il était chaud, comme aurait dit mon grand-père, qui n'était pas de l'Académie française. Tu sais ce que je pense? ai-je demandé. Il a fait signe non de la tête, inquiet de ce qui allait suivre. Tu n'as peut-être pas envie de le savoir, mais je vais te le dire quand même. Ce que je pense, c'est que tu es une sorte de malade imaginaire. De ces gens qui se trouvent des tas de trucs qu'ils n'ont pas, qui préfèrent se plaindre plutôt que d'aller de l'avant, parce que ça les arrange mieux ainsi, parce qu'en réalité ils ne veulent pas guérir, que s'ils guérissaient ils n'auraient plus de raison de se plaindre, et qu'alors ils deviendraient comme n'importe qui, sans tous leurs maux pour les rendre intéressants. Et aussi ce que je pense, c'est que ton bouquin tu ne l'écriras jamais, même si tu devais encore vivre un siècle tu n'y arriveras pas, tu trouveras toujours un prétexte pour retarder le moment de t'y mettre, parce qu'au fond de toi-même tu sais bien que tu en es incapable. Et ne crois pas que je dis ça juste pour te faire réagir. Avant oui, j'avais envie de te secouer, de te donner des coups de pied au cul, parce que je croyais que c'était ça qu'il te fallait. Mais là maintenant, je me rends compte que ça ne sert à rien, parce que quoi que je te dise, tu n'es pas prêt à l'entendre, et que quand les gens ne veulent pas entendre quelque chose, c'est comme pisser dans un violon. La vie n'est déjà pas tellement simple, si en plus on se la complique à plaisir, alors il n'y a vraiment plus qu'à se flinguer. D'ailleurs c'est ce que tu veux, et si je peux te donner un dernier conseil, je crois que c'est la meilleure chose que tu puisses faire.

Assommé il était, le type. Incapable de la moindre réaction. Le visage aussi pâle qu'un linge, les yeux perdus dans le vague, les bras pendant comme ceux d'une marionnette. Sa bouche remuait sans qu'il en sorte une parole, on aurait dit un poisson dans un aquarium. Visiblement, il ne savait plus ce qu'il devait faire, s'il devait m'attraper par le paletot et me casser la figure, ou bien se mettre à pleurer sur mon épaule pour que je le console. Finalement il a dit d'une voix brisée, tu as raison, je ne suis qu'une pauvre merde, je n'arriverai jamais à rien dans la vie. Il a sorti le revolver de sa poche et me l'a tendu sans un mot. Vas-y, a-t-il dit, fais ce que tu as à faire. Ici ou dans l'épave? ai-je demandé. Ça m'est égal, a-t-il répondu, mais dépêche-toi. J'ai pris le revolver et j'ai vérifié qu'il était chargé. Je n'en revenais pas de voir que cela avait été aussi simple. Il avait suffi d'un bon coup de gueule et il me l'avait donné sans l'ombre d'une hésitation, c'était bien la peine d'imaginer toutes sortes de ruses pour m'en emparer. Le type a retiré son imperméable et me l'a tendu en disant, quand ce sera fini tu mettras ça sur moi. Puis il s'est recroquevillé sur le siège, les bras passés autour des jambes, une main enserrant le poignet de l'autre, sa tête inclinée reposant contre ses genoux. Ça va comme ça ou tu préfères que je me mette autrement? a-t-il demandé. Non, ai-je dit, ne bouge pas, c'est parfait ainsi. Pour un peu, on se serait cru chez le photographe, avec le type en train de se faire tirer le portrait. À cette nuance près que le petit oiseau, il n'aurait pas le temps de le voir arriver, il nicherait dans sa tête avant qu'il ait pu dire ouf.

J'ai posé le revolver contre sa tempe, les traits de son visage se sont crispés et il a fermé les yeux. Mon doigt a pressé la détente, j'ai détourné la tête instinctivement, et à l'inverse de la première fois, le coup est parti presque tout seul. Sauf qu'en même temps que ma tête, mon bras s'est détourné selon un angle identique, comme si un être invisible l'avait tiré par-derrière. J'ai aperçu le petit cratère laissé par la balle, on aurait dit qu'il avait été creusé dans le sol par une taupe minuscule. Le type a sursauté violemment, puis il est resté un moment sans bouger. Il a passé les doigts sur sa tempe, les a examinés d'un air incrédule et a tourné son visage vers moi. Alors seulement, quand il m'a vu près de lui, il a dû réaliser qu'il n'était pas mort. Il a poussé un long soupir, de soulagement ou d'accablement, ou peut-être les deux à la fois. Il m'a regardé dans les yeux et il a demandé d'une voix blanche, qu'est-ce qu'il se passe? Qu'est-ce qu'il t'arrive, bon sang? Excuse-moi, ai-je dit, je ne peux pas. J'étais sûr de pouvoir, eh bien non, je ne peux pas. Tu n'aurais pas pu le dire plus tôt, a-t-il lâché. Plus tôt, je n'en savais rien, ai-je répondu, je ne pensais pas que ce serait si difficile. Je ne sais pas ce qui m'arrive, c'est plus fort que moi, c'est comme si, comme si – oh, merde. Merde, merde et merde. Tu ne pensais pas que ce serait si difficile, a-t-il répété comme un écho de ma propre voix. J'attendais qu'il continue, mais il n'a rien ajouté d'autre. J'ai dit non, je ne peux pas, pas ainsi. Buter un type froidement, un type qui ne m'a rien fait, même s'il me le demande, même s'il me paie pour ça, non, je ne peux pas, je suis vraiment désolé.

Je sentais peu à peu monter son exaspération, mais je voyais bien qu'il faisait des efforts pour se contenir, sans doute à cause de la peur qui restait encore en lui. Moi je n'attendais qu'une chose, c'était qu'elle sorte, qu'elle m'explose d'un coup à la gueule, qu'elle s'abatte sur moi comme un énorme poing et me fasse disparaître dans les profondeurs de la terre. Mais lui, tout ce qu'il a fait, c'est donner un coup de pied dans le feu. Vas-y, ai-je dit, lâche-toi. Ne te retiens pas, cogne-moi si tu veux, crache-moi à la figure, ça me fera du bien, et à toi aussi ça te fera du bien. Je me suis approché tout près de lui, j'ai attendu qu'il me secoue comme un prunier ou qu'il m'envoie un direct à me démonter la mâchoire. Au lieu de cela il continuait à shooter dans le feu, à envoyer les braises le plus loin possible. Engueule-moi, ai-je insisté, dis-moi que je suis nul, que je suis un lâche, un raté, un minable, un pauvre cocu, dis ce qui te passe par la tête, peu importe si tu ne le penses pas. Insulte-moi, insulte mes enfants, insulte mes parents, et les parents de mes parents, traîne notre nom dans la boue, maudis-nous jusqu'à la douzième génération, dis-leur à tous que je leur fais honte, que je suis le déshonneur de ma famille, le roi des trous de balle. Quand j'ai dit ça, il a émis un gloussement. Toi, le roi des trous de balle, a-t-il dit, si seulement ça pouvait être vrai. Il m'a fallu un moment pour saisir la feinte, et quand je l'ai eu comprise j'ai ri à mon tour, et alors lui aussi s'est mis à rire, on s'est mis à rire tous les deux comme des malades. Puis tout d'un coup, je me suis arrêté. Tu sais quoi, j'ai dit. Non, il a répondu entre deux hoquets. Je viens de pisser dans mon froc. Tu as fait quoi? J'ai pissé dans mon froc, nom de Dieu. Ah, le con, c'est pas vrai, il a pissé dans son froc. Et là-dessus il s'est remis à rigoler de plus belle, et de l'entendre rigoler ainsi ça m'a fait repartir, on s'est écroulés dans les fauteuils et on a rigolé ensemble jusqu'à ce qu'on n'en puisse plus.

22

Il nous a fallu dix bonnes minutes pour nous ravoir. J'avais mal aux côtes, au ventre, partout. Ça faisait une paie que je n'avais plus ri comme ça. Et à mon avis le type, ça devait faire encore plus longtemps, peut-être même que ça ne lui était jamais arrivé de toute sa vie. J'ai regardé ma montre. Cinq heures et quart. C'est quand même fou, j'ai dit. Qu'est-ce qui est fou? il a demandé. Tout, j'ai dit. Toi, moi, tout ça. Cet endroit pas possible. Ces histoires de bagnoles, enfin tout. On a fait silence pendant un moment. Le type est allé chercher du bois pour refaire le feu qu'il venait de démolir. J'ai repensé à ce qui s'était passé, ou plutôt à ce qui aurait dû se passer et qui par ma faute ne se passerait sans doute jamais. Si j'avais eu un peu plus de cran, ou un peu moins de scrupules, je les lui aurais tirées ses deux balles, et moi je me serais barré avec l'argent et la Triumph. Mais maintenant je savais que c'était trop tard, que l'occasion ne se représenterait plus, et que même si elle se représentait, je n'aurais plus le courage de le supprimer.

Le type devait penser à la même chose, parce que quand il est revenu, il m'a dit : qu'est-ce qu'il t'est arrivé? Pourquoi tu ne l'as pas tirée, cette foutue balle? À l'heure qu'il est, tout serait réglé, plus de souci, plus de souffrance, plus rien. Pour toi, peut-être, ai-je répondu, mais pas pour moi. Tu vois, le problème, c'est que dans le fond, je n'ai pas de raison de faire ça. Si j'avais une raison de t'en vouloir, si tu m'avais fait quelque chose, mais quelque chose de grave, une vraie crasse, tiens par exemple, si ma femme était partie avec toi, ou si tu t'en étais pris à mes gosses, alors sans doute que ç'aurait été plus facile. Et l'argent? a dit le type. L'argent, ce n'est pas une raison ça? Oui, ai-je dit, l'argent, sûr que c'est une raison, mais peut-être pas une bonne, en tout cas pas une raison suffisante. Avant c'en aurait été une, mais plus à présent. Et pourquoi? a-t-il demandé. Qu'est-ce qui a changé depuis tout à l'heure? Ce qui a changé, ai-je dit, ce qui a changé c'est que maintenant, je connais beaucoup trop de choses sur toi. Quand j'en connaissais seulement un peu, je crois que ç'aurait été possible. Mais là c'est, comment dire? comme si tu faisais partie de ma vie. Tu n'es plus monsieur Untel, client de la maison Polo, suicides en gros et en détail, tu es quelqu'un avec son histoire, ses problèmes d'écriture, et tout ce qui s'ensuit. Arrête, a-t-il dit, tu vas me faire chialer. Ça, c'était bien le type, dès qu'on parlait de choses un peu intimes, il rentrait dans sa coquille comme une huître. Je voyais bien qu'au fond de lui-même, il était prêt à chialer pour de bon, mais il ne l'aurait pas avoué pour tout l'or du monde. Néanmoins, j'ai continué à lui expliquer ce que je ressentais, il finirait bien par sortir de sa carapace à un moment ou à un autre.

Ne te fâche pas si je te dis ça, mais finalement tu es quelqu'un pour qui j'ai de la sympathie. Tu ne crois pas qu'on pourrait devenir potes, tous les deux? Bon, c'est vrai qu'on ne se ressemble pas tellement, à nous voir ainsi on doit faire un peu don Quichotte et Sancho Panza. Mais dans la vie, il n'y a pas besoin qu'on se ressemble pour s'apprécier, à mon avis c'est même mieux quand on ne se ressemble pas trop. Et puis je vais te dire autre chose. Ton bouquin, tu vas l'écrire. Je suis sûr que tu en es capable. Oh, ne parlons plus de ça, a-t-il dit, je ne me fais aucune illusion à ce sujet. Je ne suis pas un philosophe, mais je suis encore moins un écrivain. Tu dis ça, mais tu n'as pas encore essayé. Si tu laisses tomber les bagnoles et que tu t'y mets sérieusement, comme tu l'as dit, je te fiche mon billet que tu y arriveras. Tu es un type cultivé, tu as de l'imagination à revendre, pourquoi tu ne pourrais pas écrire un roman? Parce que pour écrire un roman, il ne suffit pas d'avoir de l'imagination. De l'imagination, tout le monde en a. Les enfants ont de l'imagination. Les fous ont de l'imagination. Ma concierge a de l'imagination. Toi aussi tu as de l'imagination. Ce que je n'ai pas, c'est une histoire, tu comprends? Je n'ai pas d'histoire, je suis moi-même un type sans histoire, et je ne vois pas où en trouver une. Attends, tu plaisantes? Toi, un type sans histoire? Celle-là, c'est la meilleure de l'année, elle mériterait qu'on l'encadre. Depuis que je suis sur terre, je n'ai jamais rencontré un mec avec autant d'histoires que toi, et pourtant des mecs avec des histoires, je t'assure que j'en ai connu pas mal. Si c'est ça ton problème, tu peux l'oublier et passer à l'étape suivante. Parce que des histoires, moi je te le dis, ce n'est pas ça qui manque, il n'y a que l'embarras du choix. Pas besoin d'aller bien loin : tu te pointes dans un bistrot et tu te contentes d'écouter les gens. Tu es là, tu bois ta chope, tu laisses traîner tes oreilles, et au bout de la soirée tu en auras plus que tu ne pourrais en écrire, même en y passant le reste de tes jours tu n'arriverais pas à en écrire le dixième, parce que des histoires il y a dix fois plus de bouches pour les raconter que d'oreilles pour les entendre. Crois-moi, ils n'attendent que ça, tu n'as qu'à t'asseoir et les écouter attentivement, même pas, tu n'as qu'à t'asseoir et les écouter, pour ce qui est d'être attentif ils s'en fichent, ce n'est pas ça qui les intéresse, ce qu'ils veulent c'est de te parler, te dire ce qu'ils ont à dire. Et s'ils n'ont rien à dire, ils te le diront tout pareil, parce que c'est leur rien à eux, et ce rien ils tiennent à te le raconter, à te l'expliquer deux fois plutôt qu'une, pour que tu le saches bien dans tous les détails. Tu n'es pas obligé de leur répondre, tu peux te curer les ongles, ou regarder par la fenêtre, ou même sortir ton journal, surtout ne te gêne pas, ça ne les gênera pas non plus, ils continueront à te parler comme si de rien n'était, et s'ils ne peuvent plus te parler en face ils parleront à ton dos, et si tu es occupé à lire ton journal, ils te raconteront ce qu'il y a dedans, ils te diront ce que tu sais déjà comme si tu n'en avais jamais entendu parler, afin que tu le saches de la manière dont ils le savent eux, parce que toi, quoi que tu fasses, tu ne le sauras jamais de cette manière-là. Tout ce qu'ils te demandent, les plus exigeants d'entre eux, les difficiles parmi les difficiles, c'est que tu ne parles pas en même temps, mais à la rigueur même ça, ça ne les gêne pas, tu te tais, ça marche, tu veux parler, ça marche aussi, pas de problème mon capitaine. Et bientôt il en rappliquera d'autres, ceux qui étaient au fond de la salle, et ceux qui allaient repartir, et ceux qui s'apprêtaient à entrer, ils seront tous à tourner autour de toi comme des mouches, à essayer de te fourguer leur histoire, à gueuler plus fort que le voisin, tellement qu'à la fin tu ne sauras plus où donner de la tête et que tu auras envie de t'en aller. Tu te lèves, tu t'en vas, salut la compagnie, ils ne t'en voudront pas du tout, au contraire c'est eux qui te remercieront, et la prochaine fois que tu repointeras, ils auront vite fait de te remettre, comme quelqu'un qui fait partie de la famille, et ils reprendront leur histoire où ils l'avaient laissée, ou bien ils en trouveront une autre, une toute nouvelle rien que pour toi, et ce sera reparti pour un tour.

J'ai arrêté mon baratin un moment. J'avais la langue comme une pierre et les cordes vocales tout éraillées. Je nous ai versé ce qui restait de gin dans la bouteille, le type s'est allumé une cigarette et me l'a passée, puis il s'en est allumée une pour lui. Écoute, ai-je dit, voici ce que je te propose. D'ici une heure ou deux, les bistrots ouvriront leurs portes. Alors on va quitter cet endroit sinistre, personnellement je dois dire que je l'ai assez vu, on prend ta voiture, on se trouve un petit rade sympa et on écoute ce que les gens racontent. On en profitera pour boire un café bien chaud et pour casser la graine, je commence à avoir l'estomac dans les talons. Qu'est-ce que tu penses de ça? Le type a dit oui, mais c'était un petit oui, un oui qui voulait dire aussi bien non, en tout cas il n'a pas fait mine de se lever, il avait l'air de se trouver bien là, au milieu de toutes ces épaves de bagnoles, avec le feu en bois de cercueil qui ronronnait comme un gros matou. Moi, maintenant que j'étais lancé, je n'entendais pas m'arrêter en si bon chemin, j'allais le travailler au corps jusqu'à ce qu'il soit à court d'arguments.

Bon, ai-je dit, en attendant que tu te décides, je vais t'en raconter une d'histoire, un truc qui m'est arrivé il y a quelques années, ou plutôt qui est arrivé à un ami que j'avais à l'époque. C'était un type sec comme une trique, il était ceinture noire de karaté ou quelque chose dans le genre, on l'appelait d'Artagnan à cause de ses longs cheveux et de la petite barbiche qu'il avait au menton, et l'histoire c'est qu'il avait repéré une sorte d'entrepôt, l'annexe d'un supermarché construite en surplomb d'une rivière, et il avait remarqué que le mur était en blocs de plâtre. Alors il a fait un truc tout à fait dingue, il s'est amené avec une vieille baignoire bricolée, il l'a mise à l'eau et il a pagayé jusqu'à l'autre rive, et là il a commencé à démolir le mur à coups de manchettes. Puis il est entré dans le supermarché et en est ressorti avec des bouteilles de whisky, une douzaine de caisses qu'il a chargées dans la baignoire et qu'il a ramenées chez lui en traversant la rivière dans l'autre sens, moi j'ai eu droit à une caisse parce que je l'avais aidé en montant la garde. Le problème, c'est qu'après avoir fait le coup, il n'a pas réussir à tenir sa langue, il s'est vanté de son exploit devant ses soi-disant potes, et naturellement il s'est trouvé un mouchard pour le balancer, la police a débarqué chez lui et a trouvé les caisses, direction le commissariat puis la prison. Quand l'affaire est passée au tribunal, il a écopé de quinze jours fermes, avec interdiction de conduire un véhicule pendant six mois. En terminant de lire la sentence, le juge lui a dit comme ça en riant, c'est rare un juge qui a de l'humour, mais celui-là justement il en avait, et donc il a dit à d'Artagnan, cher monsieur, s'il vous prend l'envie de recommencer un jour, pensez au moins à faire immatriculer votre baignoire.

Ça avait été un sacré moment de rigolade, rien que d'y repenser je me marrais encore. Mais le type lui, ça ne l'a pas fait rire du tout, sans doute qu'il avait épuisé son quota pour la journée. Il a juste dit que c'était pas mal, sauf que ça ne faisait pas un roman, du moins pas un roman tel que lui l'entendait. J'ai supposé qu'il pensait toujours à son roman philosophique, et que mon histoire n'était pas assez philosophique à son goût. Bon sang, ai-je pensé, quel rabat-joie ce type, il commence vraiment à me courir, qu'est-ce qu'il faut pour qu'il l'écrive, son foutu bouquin. En plus, il n'avait pas l'air de vouloir bouger, il restait là tranquillement sur son derrière, à fumer ses cigarettes à la chaîne, il venait d'en allumer trois l'une à l'autre, le type c'était comme qui dirait un serial fumeur. Il avait la mine défaite et le regard sombre, tellement que ça m'a presque flanqué la trouille, Dieu sait ce qu'il était encore en train de mijoter. Le balancier était reparti dans l'autre sens, j'ai vu le moment où il allait plonger à nouveau, revenir avec l'histoire de l'accident et de sa fille qui était morte et de moi qui n'avais pas fait mon travail, et ça c'est ce qu'il fallait éviter à tout prix. Tant qu'on restait sur la littérature, même si j'avais l'impression de parler dans le vide, au moins je savais que je ne risquais rien, tandis que s'il repartait dans son trip parano, alors il était capable de tout, et pire encore. Et comme souvent quand on a le feu au derrière, moins de deux minutes après, je tenais mon idée. Une idée géniale – enfin, c'était mon avis.

23

Tu sais quoi? ai-je dit. Il a fait non de la tête. Je crois que je viens d'avoir une meilleure idée. Ton bouquin, celui que tu voudrais faire, pourquoi on ne l'écrirait pas ensemble? Quand je dis l'écrire ensemble c'est une façon de parler, bien entendu c'est toi qui l'écrirais, moi je t'aiderais en te fournissant la matière. Je te raconterais l'histoire et toi tu l'arrangerais à ta sauce, tu mettrais dessus les mots qu'il faut, avec toutes les phrases et tout. Quel genre d'histoire? a-t-il fait sans lever les yeux. Ce n'est pas difficile, ai-je dit. La nôtre. Notre histoire. Celle de ce qui nous arrive, là, maintenant. Pour les personnages, il ne faut pas aller chercher bien loin, tu les as devant toi en chair et en os, ça serait en quelque sorte du travail d'après nature. L'histoire de deux barjos, un qui dit tue-moi, l'autre qui dit d'accord, non attends je ne peux pas, si je t'en prie tue-moi, pardon je n'y arrive pas, bon alors laissons tomber, non maintenant ça va, oui mais maintenant c'est moi, je suis plus sûr d'avoir envie, et ainsi de suite pendant cent cinquante pages. Et à la fin le type finit quand même par zigouiller l'autre, les gens aiment quand ça se termine mal, ils aiment aussi quand ça se termine bien, mais là ce serait mieux que le personnage meure, ainsi toi tu ne serais plus obligé de le faire, puisque c'est lui qui le ferait à ta place. C'est ça qui est commode avec les histoires, tu peux flinguer autant de types que tu veux, ou tu peux flinguer dix fois le même, ou le ressusciter si ça te chante, ça ne mange pas de pain, vu que c'est juste une histoire, et quand tu as bien tout fini, tu n'as pas de sang sur les doigts, juste des taches d'encre si ton stylo coule. Je te parie qu'à l'arrivée, ça ferait un bouquin fantastique, ça cartonnerait au hit-parade, il y en aurait des piles sur les tables, on serait en tête de gondole dans les hypermarchés. Toi tu deviendrais célèbre, tu irais causer dans le poste, peut-être même que tu choperais un prix, et moi dans mon quartier les filles, quand elles me verraient passer, elles diraient c'est lui le tueur de l'histoire, elles se parleraient à l'oreille, ça les exciterait à mort, elles mouilleraient rien que d'y penser, elles tomberaient raides dingues de moi, je n'aurais qu'à me baisser pour les ramasser, putain ce serait la belle vie. Donc, en résumé : le type part les deux pieds devant, et toi tu repars sur les deux tiens. Et pour ce qui est du fric, on coupe la poire en deux, fifty-fifty, cinquante mille pour toi, cinquante mille pour moi, on se serre la pince et tout le monde est content, toi parce que tu vas pouvoir enfin l'écrire ton livre, moi parce que je me retrouve quand même avec un joli magot, et sans avoir à faire le boulot désagréable, sans avoir à faire rien du tout, à part être venu ici et t'avoir tenu compagnie, ce qui n'est pas un bien grand dérangement. Alors, qu'est-ce que tu dis de ça?

J'étais tout en affaire, persuadé de tenir le filon en or, mais lui s'est contenté de pousser un soupir. Bon Dieu de bon Dieu, qu'est-ce qu'il pouvait pousser comme soupirs le type, il aurait démoralisé une troupe de légionnaires à lui tout seul. Il y a juste un hic, a-t-il dit. Un hic, quel genre de hic? Ça a déjà été fait. Qu'est-ce qui a déjà été fait? Eh bien, cette histoire. L'histoire d'un homme qui veut se suicider, et qui n'est pas capable d'y arriver seul, qui demande à un autre de le faire à sa place, il y a déjà quelqu'un qui a écrit un livre là-dessus. Encore, me suis-je exclamé. À t'entendre, on dirait que tout a été fait. C'est exactement ce que je pense, a-t-il répondu. Moi je n'en revenais pas, une idée aussi délirante que celle-là, j'aurais parié ma chemise que personne ne l'aurait eue avant nous. J'ai dit, ah bon, sans blague, et qui c'est ce saligaud, et il m'a dit le nom du gars, mais naturellement je l'ai oublié. Eh ben merde alors, j'ai dit, même notre histoire on nous la vole sur le dos, on est comme deux mecs qui se font piquer leurs fringues et qui se retrouvent le matin à poil sur le trottoir. Puis j'ai réfléchi et j'ai dit au type, peut-être que quelqu'un a déjà écrit un truc dans le genre, mais pas comme toi tu pourrais le faire. Parce que quand tu dis que tu es un type sans histoire, un type à qui il n'arrive jamais rien, permets-moi de rigoler doucement. Prends cette histoire de bagnoles, d'un type qui passe sa vie dans les bagnoles, alors qu'au fond ce qu'il veut c'est écrire des bouquins, et qui n'arrive pas à choisir entre sa femme la mécanique et sa maîtresse la philosophie, je suis sûr que personne n'y a encore pensé, vu que cette histoire c'est la tienne et pas celle de quelqu'un d'autre. Et puis tu n'aurais qu'à y mettre ta patte, tu rajouterais des personnages, tiens, par exemple, tu pourrais rajouter une femme, c'est toujours mieux les histoires où il y a des femmes, et dans la nôtre il faut bien dire qu'elles ne se bousculent pas. Donc, il y aurait une femme, une sorte d'espionne, une jolie tueuse vêtue de cuir, genre Lara Croft, tu vois? Peu importe, c'était juste un exemple. Quoi qu'il en soit, après avoir longuement discuté, la jolie fille tombe sous ton charme, c'est-à-dire sous le charme de ton personnage, et à la fin vous repartez ensemble et vous filez le parfait amour. Bon, là je dis n'importe quoi, je te raconte ce qui me passe par la tête, mais toi tu ferais ça beaucoup mieux. Et moi ça m'intéresserait de voir comment tu fais, parce que des bouquins il m'arrive d'en lire, mais avant que je te connaisse et qu'on se mette à parler ainsi, je n'avais jamais pensé qu'il y avait des gens derrière pour les écrire, et que ces gens on les payait pour faire ça, et que ça s'appelait des écrivains. Pour moi les bouquins, c'est comme s'ils se faisaient tout seuls, qu'ils arrivaient tout finis et imprimés et tout, et toi tu les prends dans les rayons, tu vas les payer à la caisse, pareil que de la bière ou des saucisses, et quand tu es rentré chez toi, tu te contentes de les lire bien peinard dans ton fauteuil, sans penser qu'un mec a trimé pendant des semaines et des mois juste pour que tu passes un moment agréable.

Cette fois-ci, j'étais certain d'avoir misé sur le bon cheval, et qu'avec mon idée d'écrire un bouquin ensemble, je tenais enfin l'argument qui allait faire taire toutes ses objections. Mais quand j'ai entendu sa réponse, mon enthousiasme s'est évaporé comme de l'eau sur le feu. Écoute, a-t-il dit d'une voix lugubre, c'est bien beau tout ce que tu proposes. Seulement un livre, et a fortiori un roman, ça ne s'écrit pas à deux. Je ne te parle pas des gens connus, des stars qui se font aider par un nègre, je te parle de la vraie littérature. J'ai été sur le point de lui demander ce qu'il entendait par vraie littérature, mais j'ai préféré garder ma question pour moi, de un parce que je me foutais de la réponse, de deux parce que je me sentais totalement découragé, et de trois – zut, j'ai oublié ce que je voulais dire. En plus, j'étais sûr qu'il se trompait, que ça existait des livres écrits par deux personnes, j'avais en tête deux frères qui faisaient tout ensemble, il y a juste que je n'arrivais pas à retomber sur leur nom. C'est le problème quand je discutais avec le type, je n'étais jamais capable de lui donner des exemples, alors que lui en avait toujours une demi-douzaine à me sortir, et comme c'étaient des noms que je ne connaissais pas, je pouvais tout juste dire oui et amen. D'ailleurs, à partir de maintenant, c'est ce que j'allais faire. Je n'allais plus dire un mot, je n'allais plus essayer de l'aider, je n'allais plus rien faire du tout. Le type, je le trouvais tuant, si je peux dire comme ça. Chaque fois que je m'amenais avec une proposition, il trouvait quelque chose à y redire, comme quoi ce n'était pas ce qu'il voulait faire, ou comme quoi c'était ce qu'il voulait faire mais qu'il n'y arrivait pas, ou comme quoi ça avait déjà été fait par quelqu'un d'autre, et ainsi de suite. Si mon idée ne lui plaisait pas, il n'avait qu'à en trouver une meilleure lui-même, et s'il ne voulait pas qu'on écrive son bouquin ensemble, il n'avait qu'à se débrouiller pour l'écrire tout seul. J'en avais assez de me torturer la cervelle à me la décrocher, de toute façon c'était à peu près comme de parler à un mur, je crois que j'aurais eu plus de succès en discutant avec un lampadaire.

24

Tout à coup, j'ai senti la fatigue me tomber dessus et me recouvrir comme une grosse vague. J'avais froid, le feu était à nouveau en train de partir, et moi aussi j'avais envie de partir, d'en finir avec toutes ces histoires, d'être ailleurs, chez moi bien au chaud, calé sous les couvertures, et ne plus penser à rien, surtout ne plus penser à rien. Il était six heures et demie, le ciel avait pris une teinte plus claire, le jour n'allait pas tarder à se lever. Bon, ai-je dit au type, je crois qu'on a fait le tour du problème. Ça fait plus de dix heures qu'on est ici, dix heures qu'on n'arrête pas de palabrer, pire que deux chefs de village africains. Maintenant, je voudrais rentrer chez moi, est-ce que ça t'ennuierait de me reconduire ? J'ai attendu un moment, mais la réponse n'est pas venue. Il se contentait de faire aller sa tête dans tous les sens, comme un chien en peluche à l'arrière d'une voiture. J'ai compris qu'il valait mieux ne pas compter sur son aide et j'ai commencé à m'éloigner de quelques mètres. Où vas-tu ? a fait sa voix dans mon dos. Je l'ai entendu qui marchait derrière moi. Je me suis figé sur place, je savais qu'il était capable de tout, y compris de me descendre comme un vulgaire lapin. Alors seulement je me suis souvenu que le revolver se trouvait dans ma poche. Aussi incroyable que cela puisse paraître, j'étais tellement nase que j'avais complètement oublié ce petit détail. J'ai pivoté sur mes talons, j'ai sorti l'arme et l'ai braquée vers lui. Mais au lieu d'arrêter sa marche, il a continué à avancer à pas très lents, suspendant le pied en l'air et le reposant à la façon d'un échassier. Reste où tu es, ai-je crié. Si tu fais un pas de plus, je te préviens que je tire. Il s'est immobilisé, puis il a levé les mains en l'air dans un geste théâtral, en même temps qu'une expression de surprise apparaissait sur son visage. Comment? s'est-il exclamé. Tu tirerais sur ton meilleur ami? Tu ferais vraiment une chose pareille? La vérité est que je n'en étais pas du tout convaincu. Et même si je le faisais, je n'étais pas sûr de l'atteindre, je m'attendais à ce que les balles traversent son corps sans le blesser, ou qu'elles le contournent pour aller se perdre dans la nature. Sans doute que lui aussi devait se croire invulnérable, parce qu'il s'est remis à avancer lentement, toujours avec sa démarche de grand échassier. J'étais pétrifié de terreur, plus rien ne fonctionnait dans ma tête, mon doigt inerte reposait sur la détente. Encore un pas et je tire, ai-je dit d'une voix étranglée, et avec si peu de conviction que je ne me serais pas cru moi-même. À ta place, a-t-il dit, je ne ferais pas une chose pareille. Si tu me tues maintenant, ce n'est plus un suicide mais un assassinat, pour reprendre tes propres termes. Et tu ne veux pas assassiner ton meilleur ami, n'est-ce pas? Tu oublies la lettre, ai-je répondu. La lettre où tu expliques les raisons de ton geste.

Évidemment c'était du bluff de ma part. Cette lettre, il ne me l'avait pas montrée, et je ne savais pas ce qu'il y avait dedans. Si ça se trouve, elle disait tout autre chose, ou même elle ne disait rien du tout, peut-être n'était-ce qu'une simple feuille blanche. Je m'en voulais de l'avoir cru sur parole, j'aurais dû exiger de la lire avant d'aller plus loin, mais à ce moment-là j'avais entièrement confiance en lui, je n'aurais pas imaginé une seconde qu'il pourrait chercher à m'embrouiller avec ses histoires. Ah oui, a-t-il dit, la lettre. C'est vrai, je l'avais oubliée. Mais au fait, que dit-elle, cette lettre? Voyons un peu. Il l'a sortie de sa poche intérieure, l'a parcourue rapidement du regard, puis s'est mis à la lire à haute voix. «Je soussigné, Philippe T., sain de corps et d'esprit, certifie sur l'honneur que mon assassin est le dénommé Jean-Paul M.» Suivaient mes coordonnées et le prétendu mobile de mon acte. Selon lui, je lui aurais extorqué une somme de cent mille euros, après quoi je l'aurais emme-né dans la casse pour procéder à son exécution. J'étais suffoqué par l'énormité de ce mensonge, par sa façon de retourner complètement les responsabilités. Je ne te crois pas, ai-je hurlé, quand il a eu fini sa lecture. Tu viens d'inventer ça à l'instant même, ce n'est pas ce qui est écrit. Montre-moi cette lettre. Montre-la-moi ou je tire.

Avant que j'aie pu esquisser le moindre geste, il s'est précipité vers le feu et y a jeté l'enveloppe. J'ai bondi pour la retirer des flammes, mais il m'a sauté dessus et plaqué au sol comme un deuxième ligne de rugby. Il m'a attrapé le poignet de la main droite, celle dans laquelle je tenais le revolver, tandis que de son autre bras replié il appuyait sur ma nuque. J'avais une joue collée sur le sol, des cendres m'entraient dans la bouche et les narines, du coin de l'œil je voyais l'enveloppe en train de brûler tout près de mon visage. J'ai essayé de me dégager, mais impossible de lui faire abandonner sa prise, il pesait sur moi de tout le poids de son corps, son genou s'enfonçait dans le creux de mes reins. Il m'a maintenu ainsi jusqu'à ce que l'enveloppe ait fini de se consumer. Puis il a enlevé son coude de ma nuque, m'a saisi le poignet à deux mains et a commencé à me faire une clé de bras. Je tenais toujours fermement le revolver, j'avais le doigt posé sur la gâchette, le coup pouvait partir à tout instant, un miracle que cela ne se soit pas encore produit. Centimètre par centimètre, il a réussi à me mettre le bras dans le dos, j'ai senti quelque chose craquer au niveau de l'épaule, j'ai poussé un hurlement de douleur et mes doigts ont laissé échapper l'arme. Il s'en est emparé, a enfin relâché sa prise et s'est relevé lentement, pendant que je restais couché sur le sol, les poumons en feu et le cœur battant à tout rompre, avec en prime une épaule probablement déboîtée. Il m'a fallu un bon moment pour retrouver mon souffle, après quoi j'ai entrepris de me remettre sur mes pieds, dépliant avec précaution un membre après l'autre. Mais une fois à quatre pattes, il m'a été impossible d'aller plus loin. Quand j'ai essayé de me redresser, une douleur fulgurante m'a vrillé le bas du dos, là où le type avait appuyé avec son genou, je suis juste arrivé à faire pivoter ma tête – par chance, rien n'avait l'air cassé de ce côté-là.

Le type ne semblait pas aller beaucoup mieux. Il s'était rassis, le revolver braqué dans ma direction. Il était tout pâle, il avait les yeux injectés de sang, ses cheveux lui retombaient en travers de la figure. Il avait l'air perdu, comme un comédien qui a oublié son texte, qui est complètement sorti de son personnage et ne sait plus ce qu'il est en train de faire sur la scène. Au bout d'un moment, il s'est lancé dans une sorte de monologue, d'une voix si basse que je l'entendais à peine. Il parlait de sa fille, il l'appelait mon ange, mon trésor, mon enfant adorée, et ainsi de suite. Il se demandait pourquoi elle l'avait quitté, pourquoi ils n'étaient pas restés ensemble tous les deux. Il parlait aussi de l'autoroute, de traces de freinage sur l'asphalte, ou de l'absence de traces de freinage. Ensuite c'est devenu incohérent, il était question de fleurs, des lys qu'il allait déposer tous les jours, je ne sais pas si c'était sur la route ou au cimetière, puis c'était sa fille qu'il comparait à une fleur, il disait qu'elle s'était penchée sur l'eau et qu'elle était tombée dedans et qu'elle avait dérivé avec les autres fleurs, bizarrement il l'appelait Ophélie alors que son nom était Aurélie, et à partir de là je n'ai plus rien compris à ce qu'il racontait.

Ou plutôt si, il y a une chose que j'ai comprise, une chose que j'avais déjà pensée tout à l'heure, et qui me revenait maintenant en écoutant ses divagations. Peut-être y avait-il une explication différente à ce qui était arrivé. Une explication toute simple, à laquelle je n'avais d'abord pas voulu croire, mais qui me paraissait évidente après ce que je venais d'entendre. Et cette explication était que l'accident n'était pas un accident. Si la voiture avait dévalé la pente à toute allure, si on n'avait retrouvé aucune trace de pneus sur la chaussée, ce n'était pas à cause d'une quelconque défaillance technique. C'était qu'au lieu d'appuyer sur le frein, sa fille avait enfoncé la pédale de l'accélérateur. Qu'elle l'avait fait volontairement. Que son acte n'était rien d'autre qu'un suicide. Vues sous cet angle, toutes les pièces du puzzle se mettaient en place. Son caractère fragile, sa personnalité influençable. Les rapports désastreux avec son ami turc, les problèmes d'argent et de drogue. La relation presque incestueuse que son père entretenait avec elle. Un père qui vivait lui-même dans l'idée que sa vie était un échec, qui avait dans la tête des fantasmes d'autodestruction effrayants. Tout cela avait dû peser sur elle d'un poids terrible. Elle s'était sentie acculée, prisonnière de choses qui la dépassaient. Jusque-là elle avait réussi à y faire face tant bien que mal, puis la dispute qu'elle avait eue avec son père, à la veille de son retour en Allemagne, à propos de l'enfant qu'elle portait et dont son ami ne voulait pas, avait été la goutte d'eau qui fait déborder le vase.

J'ai été tenté un moment de faire part de mes réflexions au type. Mais j'y ai renoncé presque aussitôt, certain qu'il rejetterait mon explication, parce qu'elle remettait en question son existence, les certitudes qu'il s'était fabriquées tout au long de sa vie. Il se mettrait à nouveau en colère, me traiterait d'ignorant qui ne comprend rien à rien, et moi je n'avais aucune envie de recommencer à ferrailler avec lui. Finalement, c'est lui qui a brisé le silence. Je ne savais pas très bien si c'était un ordre ou une demande, j'ai entendu quelque chose comme, à boire. À boire? ai-je répété. La bouteille est là, sur la table. Enfin, sur le – il m'a coupé sèchement, je n'ai pas dit à boire, j'ai dit aboie. Ah, pardon, me suis-je excusé, j'avais mal compris. J'ai fait : ouah, ouah. Comme ça? Encore. Ouah, ouah, ouah, ouah, ouah. Avance, maintenant. Je me suis mis à marcher à quatre pattes. Au bout de deux mètres, je me suis arrêté. Je n'en pouvais plus, j'avais mal dans tout le corps, j'avais envie de rire et de pleurer en même temps. Fais demi-tour, a-t-il dit. Continue à avancer. Plus vite que ça. J'ai pivoté sur moi-même. Quand je suis arrivé près de lui, il a fait : stop, couché. Couché, je te dis. Je me suis laissé tomber sur le flanc. Il a ramassé un bout de bois noirci par le feu et l'a tendu vers mon visage. Tiens, voilà ta récompense. Mange le bon nonosse. Il a fourré le bois entre mes dents, j'ai fait mine de le mâchouiller. Malgré le goût charbonneux, je ne pouvais pas m'empêcher de saliver, j'avais tellement faim que s'il m'avait dit de le faire, je crois que j'aurais été capable de le manger pour de bon. J'ai profité de ce qu'il regardait ailleurs pour le faire disparaître. Pas le type, l'os. Enfin, le morceau de bois. Le type aussi, j'aurais voulu le faire disparaître, mais c'était nettement plus difficile. Au pied, a-t-il dit ensuite. Je n'ai pas bien compris, vu qu'à ses pieds, j'y étais déjà. Je me suis rapproché de quelques centimètres en trémoussant mon derrière. Il m'a présenté son pied gauche et a dit : lèche, maintenant. J'ai commencé à passer ma langue sur sa chaussure. Heureusement, elle était propre, elle brillait comme si elle avait été neuve, fabriquée dans une matière spéciale où la boue n'accroche pas. Quand j'ai bien eu léché le soulier gauche, j'ai attaqué le droit de ma propre initiative, j'ai pensé que le type n'y verrait sans doute pas d'objection. Je peux aussi remuer la queue, ai-je dit. Tu ne veux pas que je remue la queue? Hein, tu ne veux pas que je la remue, pour que tu voies à quel point je suis content?

Mais il n'a pas trouvé ça drôle du tout. En fait, ce petit jeu n'avait même pas l'air de l'amuser. S'il avait été un vrai sadique, il aurait pris plaisir à m'humilier de cette façon, or ce n'était manifestement pas le cas. Il donnait ses ordres comme un infirmier qui s'apprête à vous faire une piqûre, enlevez votre pantalon, couchez-vous sur la table, gardez vos chaussettes, baissez un peu le slip, tout cela sans vous jeter un regard. À vrai dire, je crois qu'il ne savait pas lui-même ce qu'il voulait, ou qu'il l'avait peut-être su mais qu'il l'avait oublié, qu'il continuait sans trop comprendre pourquoi, c'était un peu comme avec son bouquin, au début cela avait du sens pour lui, et puis au fil du temps le sens s'était perdu. Le plus étonnant de l'affaire, c'est que moi j'avais fini par prendre plaisir à cette mise en scène, c'était tellement insensé que j'en arrivais à trouver ça drôle. Comme je riais tout seul, le type m'a demandé ce qui me prenait. Rien, ai-je dit, tu as de la chance d'avoir un bon chien. Si je n'étais pas un animal aussi affectueux, si je n'avais pas autant d'amour pour mon maître, je crois que j'irais me plaindre auprès de la SPA. Espèce de con, a-t-il lâché avec tout le mépris dont il était capable. Tu n'es vraiment qu'une pauvre tache, je ne sais pas ce qui m'a pris de m'adresser à toi. Je ne le sais pas non plus, ai-je dit. Tu ne m'aiderais pas à me relever? Je crois que je commence à attraper des crampes. Va te faire foutre, a-t-il répondu. Après quoi il s'est de nouveau retranché dans le silence.

25

Je me demandais comment tout cela allait finir. Je n'ai pas eu à me poser la question bien longtemps : tout à coup, le type a baissé son arme et a eu un violent soubresaut, il s'est penché en portant la main à sa poitrine, son visage s'est tordu sous l'effet d'une douleur intense. Ou bien il me jouait encore un de ses tours, ou bien il se passait quelque chose d'anormal. Ça va? ai-je demandé. Non, a-t-il répondu entre ses dents. Qu'est-ce qu'il t'arrive? Je ne sais pas, je crois que je – ah, ah, oh. Son bras pendait avec le revolver au bout, son corps était tout à fait rigide, il pompait l'air à petits coups saccadés. Ho, ai-je dit en le secouant un peu, tu ne vas pas nous faire une attaque? Je me rappelais ce qu'il m'avait dit de son père, de la façon dont il était mort en quelques instants, peut-être que le type était en train de faire pareil, d'imiter son père jusque dans la façon de mourir. Peut-être que sa condition physique n'était pas aussi bonne que je le croyais, ce qui n'avait rien de surprenant avec tout ce qu'il fumait et tout ce qu'il picolait.

J'ai entrepris de me relever en mordant sur ma chique, je devais avoir un nerf coincé quelque part, le moindre geste me faisait endurer le martyre. Je suis parvenu à me remettre sur mes pieds, mais je n'ai pu redresser le dos que de quelques centimètres. J'ai essayé de me rappeler les premiers gestes d'urgence, ça datait de l'époque où j'avais passé mon brevet de secouriste. J'ai ouvert le col de sa chemise, je lui ai donné quelques tapes sur les joues. Aucune réaction. Son visage était livide, ses narines pincées, il transpirait à grosses gouttes, en émettant une sorte de sifflement. Je me suis dit qu'il serait mieux couché, j'ai voulu prendre ses jambes pour l'étendre sur le siège, mais il était tellement raide et j'avais tellement mal que je n'y suis pas arrivé. Finalement, la meilleure chose que j'avais à faire, c'était de téléphoner pour appeler une ambulance. Les gars allaient bien rigoler quand je leur expliquerais la situation, enfin l'important c'était de ne pas laisser le type clamecer ainsi. Je l'ai fouillé dans l'espoir de trouver un téléphone portable. Contre toute attente il n'y en avait pas, en revanche j'ai mis la main sur la grande enveloppe avec les billets, que j'ai fait passer de sa poche dans la mienne, où elle est allée rejoindre l'autre. Je lui ai aussi pris son calibre 38, il avait les doigts crispés sur la crosse, il a fallu les déplier l'un après l'autre, j'avais un peu l'impression de manipuler un cadavre. Tant qu'à faire, je lui ai pris son paquet de cigarettes, dans l'état où il était il valait mieux qu'il ne fume pas. En revanche, pas trace de ses clés de voiture, je ne savais pas où il pouvait les avoir fourrées, sans doute dans une des innombrables poches de son imper. Mais je n'ai pas eu le temps de continuer à les chercher, car brusquement le type s'est affaissé sur lui-même, il claquait des dents, il avait les yeux écarquillés, son corps était parcouru de convulsions effrayantes, il laissait échapper de longs râles à vous faire dresser les cheveux sur la tête. J'ai passé le revolver dans ma ceinture, j'ai enlevé ma veste et je l'ai posée sur lui pour qu'il ait moins froid.

La question maintenant, c'était où dégoter un téléphone. Un samedi à sept heures du matin, il ne devait pas y avoir âme qui vive sur le chantier, inutile de me taper le trajet jusqu'à l'un des bâtiments là-bas. J'ai pensé à la baraque du ferrailleur, je devais pouvoir y trouver ce que je cherchais. Je me suis traîné tant bien que mal, le buste fortement incliné vers l'avant, les jambes écartées et à demi pliées pour faire contrepoids. Il m'a fallu une bonne minute pour parcourir la distance qui me séparait du bureau. La porte, évidemment, était fermée à clé. En temps normal, j'aurais peut-être réussi à l'enfoncer à coups d'épaule, là je pouvais tout au plus me servir de ma tête comme bélier, or ma tête était tout ce qui me restait d'à peu près intact, et j'avais dans l'idée qu'elle pouvait encore me servir. Seule solution, casser un carreau. Par chance les fenêtres étaient assez basses, mais par malchance elles étaient recouvertes d'un grillage. J'ai avisé celle de droite et j'ai commencé à tirer dessus, chaque mouvement m'arrachait un cri de douleur. Peine perdue, elle était scellée dans le mur, je ne suis même pas arrivé à la faire bouger. Par acquit de conscience, j'ai essayé celle de gauche. Une des pattes qui maintenaient la grille s'est soulevée sans difficulté, à mon avis celle-ci avait déjà été forcée et simplement remise en place. J'ai pris un morceau de ferraille qui traînait, et en l'utilisant à la façon d'un levier, j'ai réussi à desceller les attaches du bas. Puis j'ai empoigné la grille par le milieu et j'ai commencé à la secouer dans tous les sens. Elle s'est détachée d'un coup, je suis parti en arrière avec elle, je me suis reçu lourdement sur le dos, tandis que la grille me dégringolait dessus. Un angle du cadre m'a touché à la tête et a failli m'assommer, quand j'ai passé les doigts sur mon front, j'ai vu qu'ils étaient tachés de sang. Seigneur Jésus, me suis-je dit, quelle journée maudite, si j'arrive à me sortir de ce merdier, j'en aurai au moins pour six mois à me remettre. J'ai repoussé la grille, puis j'ai regardé en direction du type. Il était toujours sur son siège, assis un peu en travers, il ne bougeait plus du tout. J'ai eu un moment de panique en pensant qu'il était peut-être mort.

J'ai repris le bout de ferraille et j'ai cassé un carreau de la fenêtre, qui s'est ouverte toute seule sous le choc – elle n'était pas entièrement refermée, mais dans ma hâte je ne m'en étais pas aperçu. La pièce était sombre, elle sentait le moisi, le vieux papier et la graisse de voiture. Lorsque j'ai poussé l'interrupteur, l'unique néon a grésillé et répandu une lumière crue. De l'humidité suintait des parois, des fleurs de salpêtre blanchissaient le béton. J'ai repéré l'antique téléphone noir à cadran posé sur un coin du bureau. Je me suis assis, j'ai décroché le combiné et j'ai attendu quelques secondes. Rien. Pas le moindre signal. J'ai appuyé plusieurs fois sur la barre de tonalité. Inutile, ça ne fonctionnait pas. Je me suis levé et j'ai suivi le câble jusqu'à la prise. La fiche n'était pas branchée, d'ailleurs elle ne pouvait pas l'être, puisque les fils dénudés traînaient par terre. Tous ces efforts pour en arriver là, ai-je pensé avec amertume. Je suis retourné m'asseoir sur la chaise en soufflant et en pestant. Sans doute que le proprio avait décidé de passer au portable, et qu'il avait laissé l'ancien téléphone pour la décoration. La décoration, parlons-en. Elle était plutôt sommaire : une table métallique vert foncé avec deux chaises, un réchaud à gaz pour préparer la tambouille, un évier d'une saleté repoussante, un distributeur de café automatique, un frigo avec une petite télé rouge dessus, au mur un calendrier datant du siècle passé, un crucifix en zinc orné d'une branche de buis sec, et c'était à peu près tout.

Je suis resté quelques minutes assis sur la chaise, à rassembler le peu de forces qui me restaient. Puis, n'ayant plus rien à faire là, je suis sorti de la baraque et j'ai refait le trajet en sens inverse, le corps toujours cassé en deux. Parvenu à mi-chemin, j'ai tourné la tête sur le côté pour m'orienter. J'ai poussé un juron : le type avait disparu, en tout cas je ne le voyais nulle part. Quand je suis arrivé à hauteur du feu, je me suis mis à crier après lui, mais je n'ai obtenu aucune réponse. J'ai inspecté les alentours, je suis allé voir derrière le mur d'épaves compressées. Pas un chat à l'horizon. Tout en continuant à m'époumoner, je me suis rendu jusqu'à la scierie, puis jusqu'au bâtiment près duquel était garée la Triumph. Comme je le pressentais, la voiture n'était plus là. J'ai dû me rendre à l'évidence : pendant que je me décarcassais pour lui sauver la vie, ce salopard s'était bel et bien taillé. Je ne comprenais pas comment c'était possible. Lorsque je l'avais quitté, il était prêt à passer l'arme à gauche, au point que je craignais de le trouver mort à mon retour. Et voilà qu'en quelques minutes à peine, il avait récupéré assez d'énergie pour se lever, marcher jusqu'à sa voiture et s'éclipser avec elle, tout cela sans que je m'aperçoive de rien. Je ne voyais que deux explications plausibles. Ou bien il avait subitement repris du poil de la bête et il en avait profité pour ficher le camp, ce qui me paraissait difficile à croire vu l'état dans lequel je l'avais laissé. Ou bien il s'était une fois de plus payé ma tête et tout ceci n'avait été qu'un grand foutage de gueule – mais alors son corps crispé, les traits de son visage déformés par la douleur, son regard halluciné comme s'il avait vu tous les monstres de l'enfer? J'avais du mal à croire que quelqu'un, même le plus doué des comédiens, soit capable d'imiter aussi parfaitement la souffrance.

Je me suis affalé sur le siège en maugréant. J'en étais arrivé au point où je doutais de tout, où je me demandais si je n'avais pas rêvé cette histoire du début à la fin. La voiture avait disparu, le type lui aussi avait disparu, peut-être même n'y avait-il jamais eu de type. Sa fille non plus n'avait jamais existé, elle ne pouvait donc pas être morte. Il n'y avait pas eu d'accident, la Mercedes n'avait pas fait une chute de plusieurs mètres, pour la bonne raison qu'il n'y avait pas de Mercedes, celle qui se trouvait là était une épave parmi d'autres. Moi-même je n'avais jamais travaillé au garage Fauconnier, ni d'ailleurs dans aucun autre garage, je n'avais jamais été électricien automobile, j'avais toujours vendu des accessoires pour vieilles voitures. Tout ce qui s'était passé avait été englouti par la nuit, et maintenant que le jour était sur le point de se lever, je voyais bien que cela n'avait eu lieu que dans mon imagination. La seule chose qui démontrait le contraire, c'était l'argent, les deux enveloppes avec l'argent du type, celle avec les dix mille euros et celle avec les cent mille euros. À l'instant même où je pensais cela, j'ai failli basculer de mon siège. Nom de Dieu, me suis-je écrié, nom de Dieu de nom de Dieu. Je venais de me rendre compte que non seulement le type m'avait faussé compagnie, mais qu'en partant il avait emporté la veste que j'avais posée sur lui. La veste dans la poche de laquelle se trouvaient les enveloppes avec le fric. Quand j'ai fait cette découverte, j'ai été tellement sonné que je n'ai pas eu la force de réagir. Je me suis laissé retomber sur le siège et je me suis mis à sangloter de dépit. Jamais, de toute mon existence, je ne m'étais senti aussi nul. J'avais aidé ce faux derche, je m'étais échiné à lui remonter le moral, j'avais passé une nuit entière à écouter ses histoires à dormir debout. Je l'avais dorloté, consolé, conseillé, et pour toute récompense, voilà qu'il me filait entre les doigts. Je me suis mis à le maudire, lui en particulier et le genre humain en général, j'ai maudit tout ce que la terre comptait de philosophes et d'experts automobiles, de philosophes experts automobiles et d'experts automobiles philosophes. Et surtout je me suis maudit moi-même de m'être embarqué dans cette affaire foireuse, de ne pas avoir compris depuis la première seconde à quel genre de cinglé j'avais affaire, ou plutôt de l'avoir compris et de ne pas en avoir tenu compte. Si le type avait été là, je l'aurais descendu froidement, sans l'ombre d'une hésitation. Sauf que si le type avait été là, je n'aurais pas eu de raison de le descendre. Tout cela était d'une stupidité monumentale, et moi j'étais vraiment le roi des crétins. Le roi, que dis-je? l'empereur. Crétin Ier, empereur de la Grande Connerie, voilà ce que j'étais.

26

Je ne sais pas au juste ce qui s'est passé. J'ai dû m'endormir sur le siège et roupiller un bon moment, parce que quand j'ai ouvert les yeux il faisait complètement jour. Je grelottais, j'avais une gueule de bois atroce, je sentais des picotements dans la gorge, à cause de toutes les cigarettes que j'avais fumées et de la crève que j'avais attrapée. Le petit matin glacial me piquait les chairs, j'avais les membres complètement engourdis et l'esprit cotonneux comme un gros morceau d'ouate. Je me suis pelotonné et j'ai essayé de me rendormir, de prolonger mon sommeil interrompu, mais impossible de refermer l'œil. En rentrant les pans de ma chemise, j'ai senti contre mon ventre un objet dur et froid – le revolver. Ça m'a dégrisé tout à fait, la réalité s'est rappelée brutalement à moi, les événements de la veille se sont mis à défiler comme dans un film en accéléré. Le type, la petite annonce, le rendez-vous au bistrot, la discussion nocturne, la comédie du suicide, l'accident de voiture, le contrat, le fric. Quand j'ai voulu me lever, mon corps n'a pas suivi ma tête et je suis retombé pesamment sur le siège. J'avais mal partout, au dos, à l'épaule, à la cheville, au crâne. En passant les doigts sur mon front, j'ai senti une énorme bosse. Mes vêtements étaient durcis par la boue et en même temps imprégnés d'humidité. Le feu était éteint, il y avait de nouveau cette sale petite pluie fine, tellement fine qu'on la sentait à peine, c'étaient comme des particules d'eau en suspension dans l'atmosphère, on aurait dit qu'elles ne tombaient pas mais qu'elles s'élevaient à partir du sol.

Je me suis mis debout à grand-peine, en prenant appui sur le siège et en dépliant un membre après l'autre. Je n'arrivais pas à redresser tout à fait le buste, mais ça allait un peu mieux que tout à l'heure, au moins je n'étais plus obligé d'incliner la nuque pour regarder devant moi. J'ai fourré le revolver dans ma ceinture et je l'ai dissimulé sous mon pull. J'ai commencé à marcher en claudiquant, ma cheville avait encore enflé et ma chaussure me serrait, mais je ne pouvais quand même pas circuler pieds nus dans cette gadoue. Après avoir longé les épaves posées les unes sur les autres, pareilles à de grosses bestioles poursuivant leur fornication immobile, comme dans une espèce de grand lupanar à ciel ouvert, je me suis arrêté quelques instants devant la muraille de cubes compressés. C'était moins impressionnant maintenant, parce que tout apparaissait en pleine lumière, par contre j'ai noté une foule de détails que je n'aurais pu voir la veille. Seules les rangées supérieures étaient faites de restes de voitures, celles du dessous étaient composées d'objets et de matières les plus disparates, ce qui laissait supposer que l'endroit avait d'abord servi à recycler toutes sortes de vieilleries avant de devenir un site de démolition automobile. Il y avait là des radiateurs, des chaises de jardin, des morceaux de bicyclettes, de vieux téléphones en bakélite, des pièces d'engins agricoles, des bonbonnes de gaz, des poêles à frire, des roues dentées, des canettes de bière, des fers à cheval, des horloges, et ainsi de suite. J'y ai découvert une petite locomotive jaune, un disque pour enregistrer la vitesse des camions, une médaille en plastique doré représentant saint Christophe. Là où le mur s'arrêtait, il y avait une gare de triage désaffectée, des traverses de chemin de fer empilées par centaines. Tous ces objets inutilisés, tout ce bois et ce métal laissés à l'abandon, ça m'a fait venir un cafard monstre.

Je suis parvenu à l'endroit où le grillage était soulevé, j'ai réussi à me faufiler dessous. Je me suis éloigné de la casse, me suis traîné en direction du canal avec l'intention de regagner la sortie. À présent qu'il faisait clair, le paysage n'avait plus rien à voir avec celui de la nuit, c'était bien le même endroit et pourtant j'avais du mal à le reconnaître, tant la lumière rendait tout différent. J'ai longé un bras d'eau stagnante qui sentait la vase et le mazout. La surface était couverte d'une mousse verdâtre et une vapeur blanche s'en élevait, d'où émergeaient des tonneaux, des pneus de camion, des branchages sombres, des bouts

de ferraille. Des oiseaux au plumage noir étaient posés dessus, c'étaient peut-être bien des cormorans, j'avais entendu dire que des cormorans nichaient dans l'île. Plus loin sur la rive, j'ai vu un héron perché sur ses hautes pattes, il remuait la vase à l'aide de son long bec pointu, à se demander ce qu'il espérait bien trouver là-dedans. Le vent était tombé, tout était incroyablement calme, à peine entendait-on la rumeur de l'autoroute, et de temps à autre le croassement d'un oiseau qui déchirait le silence. J'ai continué à clopiner en longeant le bras d'eau, jusqu'à l'endroit où il fait un coude et rejoint le canal qui va se jeter dans le fleuve. Le pont en fer en forme d'arche barrait l'horizon, vu ainsi il faisait penser au squelette d'un animal préhistorique. Quand je suis arrivé à proximité de l'oiseau, il s'est envolé dans un grand claquement d'ailes et est allé se poser de l'autre côté du canal.

À cet instant, sur la berge d'en face, je vois arriver de loin un gros type avec un chien en laisse. Il porte un survêtement de jogging multicolore, mais à en juger par sa panse rebondie, il ne doit pas en faire souvent, du jogging. Il marche avec les deux bras écartés du torse, les paumes tournées vers l'arrière, on dirait un ours endimanché. Je n'ai pas trop envie qu'il me trouve là, je cherche un moyen de disparaître, mais tout est à découvert, et de toute façon c'est trop tard, le type doit déjà m'avoir repéré. Heureusement il est occupé avec son chien, il se met à pousser des grognements et à lui filer de grands coups de savate. En voyant ça, j'hésite sur la conduite à suivre : ou bien je m'en vais en catimini, ou bien j'explique ma façon de penser à cet individu. Comme dans ces cas-là, la meilleure défense c'est encore l'attaque, je lui crie, qu'est-ce qui vous prend, arrêtez de cogner ce pauvre chien, que vous a-t-il a donc fait? Il a fait, dit le gars, il a fait qu'il m'a pissé dessus. Et pour commencer, ça ne vous regarde pas, c'est mon chien, pas le vôtre, j'ai le droit d'en faire ce que je veux.

En entendant ça, mon sang ne fait qu'un tour, je ne supporte pas qu'on cogne les animaux, j'en oublie ma fatigue et tout le reste. Je lui dis, justement non, vous n'avez pas le droit, vous méritez qu'on vous dénonce, d'ailleurs si vous continuez c'est ce que je vais faire, vous voyez bien qu'il est pris dans sa laisse, lâchez-le si vous ne voulez pas qu'il vous pisse dessus. Alors voilà l'autre qui me dit, il est maintenant à ma hauteur, je peux mieux voir les traits de son visage, avec ses petits yeux enfoncés dans sa face porcine, voilà donc qu'il me dit, ah c'est comme ça, eh bien je vais vous le lâcher au derrière. Et aussitôt dit aussitôt fait, il libère le chien de sa laisse, attaque Joseph, attaque, en plus il s'appelle Joseph, quelle idée d'appeler son chien Joseph, je vous demande un peu. Et pendant que l'animal s'amène patte à patte, on continue à s'engueuler d'une berge à l'autre, le type et moi. Et d'abord, me lance-t-il, qu'est-ce que vous faites ici, c'est une propriété privée, vous avez intérêt à dégager vite fait, sinon en plus du clébard vous aurez les flics au cul, peut-être qu'alors vous cesserez de faire votre mariole.

Du coup, je suis un peu moins rassuré, d'autant que le chien a franchi la passerelle et se précipite dans ma direction, ou plutôt essaie de se précipiter, car à le voir souffler comme un asthmatique, il n'est visiblement plus de première fraîcheur, néanmoins avec les animaux méfiance, on ne sait jamais ce qui leur passe par la tête, surtout quand ils ne vous connaissent pas. Soudain il se met à tanguer, il zigzague comme un véhicule fou, dérape sur une flaque d'eau boueuse et fonce la tête la première dans une bitte d'amarrage. Il reste un moment couché sur le flanc, puis se contorsionne dans tous les sens pour se remettre debout. Finalement, à force de gesticulations, il arrive à se relever tant bien que mal. Il vient s'asseoir à mes pieds, balance sa queue à droite et à gauche, me regarde de ses yeux vitreux d'où s'écoule un épais liquide jaune. Je me penche avec précaution vers lui, j'avance une main vers son maigre pelage et je lui flatte l'échine, sa queue bat l'air de façon poussive, il émet de petits jappements. De le voir ainsi ça me fend le cœur, allons me dis-je, ce chien ne me veut aucun mal, tout ce qu'il lui faut, après les coups qu'il a pris, ce sont des caresses, des caresses et de l'affection. Comme s'il comprenait, il me lèche affectueusement les chaussures, puis les mains qu'il frotte de sa grosse langue râpeuse, c'est visqueux et un peu désagréable, Joseph, brave bête, je lui dis, arrête donc de me lécher. Mais Joseph n'arrête pas, il me lèche les mains de plus belle, et au prix d'un effort démesuré, car en plus de son asthme il doit être bouffé par le rhumatisme, il étend ses pattes crottées et les pose sur mes épaules. Voilà que non content de me lécher les mains, il essaie maintenant de me lécher la figure, bon sang, me dis-je, ce n'est pas possible, ce chien doit être malade, d'où sort-il toute cette salive. Là je trouve qu'il exagère, Joseph, je dis, tu exagères, arrête de me lécher, arrête je te dis, j'ai horreur de ça, vilain chien, arrête ou je te plante là, tu n'en as pas encore assez, tu veux que je me fâche moi aussi? Mais Joseph n'en a cure, il me lèche à qui mieux mieux, je le repousse en l'attrapant par les pattes, alors il se met à tourner autour de moi, et voilà-t-il pas qu'après avoir répandu sa bave sur ma figure, il fait mine de lever la patte pour me pisser dessus. Cette fois je trouve que c'en est trop, espèce de gros dégoûtant je lui dis, tu as fini de me prendre pour un réverbère, tu veux qu'on te mette à la SPA, hein, c'est ça que tu veux?

Vous fatiguez pas, fait une voix derrière moi – c'est la voix du type qui s'est radiné.

Vous fatiguez pas, c'est pas la peine, même à la SPA ils n'en veulent plus. Croyez-moi, j'ai déjà essayé, ce chien est incurable, flanquez-lui plutôt une taloche, il n'y a que ça qui marche, enfin quand ça marche. Ah, vous croyez? dis-je. Sûr, me répond-il, ce chien je le connais, c'est comme si je l'avais fait. Eh bien dans ce cas, dis-je, il n'aura que ce qu'il mérite. Je lui balance un bon coup dans les côtes, et le voilà qui détale en couinant sans demander son reste. Vous voyez, me dit le type, saleté de chien, oui, je dis, vous l'avez dit, saleté de chien. Je vous l'avais dit qu'il me dit, je dis pardon, vous ne m'avez rien dit, non mais si vous me l'aviez demandé, je vous l'aurais dit, qu'il dit. Alors en somme, on se comprend, je dis. Oui, qu'il dit, on est faits pour s'entendre. Je lui propose une cigarette, une des cigarettes du type, voulez-vous une cigarette, je dis, merci, qu'il dit, je ne fume pas, mais fumez-la à ma place, vous me ferez plaisir. Et pendant que je fume ma cigarette, sa cigarette, notre cigarette, je pense en moi-même, qu'est-ce qu'il m'arrive, voilà que je sympathise avec ce type, peut-être n'est-il pas si mauvais que ça, ou peut-être le suis-je plus que je ne pense, allez savoir. En attendant, il y a l'autre cabot qui se ramène, qui revient tourner autour de moi, qui essaie de nouveau de me lécher les mains, à croire qu'il n'en a pas encore son compte. Dites-moi, je dis, ce chien est vraiment répugnant. Oui, dit le type, il peut plus se retenir, il pisse sur tout ce qui bouge, et quand il y a rien qui bouge, vous savez ce qu'il fait? Non, je dis. Eh bien, il se pisse dessus. Ça, c'est incroyable, je dis. Et comment est-ce qu'il fait? Ben des fois, il est couché sur le dos, et tout à coup ça lui prend, y a le jet qui sort et qui lui retombe dessus. Mais c'est dégueulasse, je dis. C'est vrai, même pour un chien, c'est dégueulasse de se pisser dessus. Vous comprenez, ajoute le type, c'est à cause de sa fistule. Ah bon, dis-je, alors tout s'explique. Je n'ai jamais entendu ce mot, mais je fais comme si je le connaissais, je ne veux pas avoir l'air ignorant devant un inconnu. Attendez, dit-il, ce n'est pas tout. Il est à moitié aveugle, il est perclus de rhumatisme, il a des testicules comme des pamplemousses, il a la gale qu'il y a pas moyen de s'en défaire, et puis il y a aussi quelque chose qui cloche avec son cœur, c'est pour ça qu'il souffle comme un phoque. En fait, c'est plus facile de dire les maladies qu'il n'a pas que celles qu'il a, il m'a déjà coûté un os en consultations chez le vétérinaire. Je pense que mine de rien, c'est quelqu'un de cultivé le type, il emploie les mots justes et tout, par exemple, à propos du chien, il a dit qu'il avait une fistule, il a dit aussi qu'il était perclus de rhumatisme. J'en connais beaucoup qui auraient dit plein de rhumatisme, même moi c'est ce que j'aurais dit, eh bien lui il a dit perclus. Finalement le type, ce n'est pas ce que je croyais, c'est quelqu'un tout ce qu'il y a de bien, comme quoi il ne faut jamais se fier aux apparences.

27

Je devais bien lui revenir aussi au type, parce qu'il a dit au bout d'un moment, si on allait se boire un café, histoire de se réchauffer un peu? Hein, qu'est-ce que t'en penses? Tu permets que je te tutoie? Oui, bien sûr, ai-je dit, maintenant qu'on se connaît, on ne va pas faire des salamalecs. J'avais employé ce mot-là exprès, pour qu'il voie que moi aussi j'avais du vocabulaire. Moi, c'est Pierrot, dit Pierrot la Casse, a-t-il fait en me tendant la main. Il l'a broyée dans sa grosse paluche, pareil que s'il me l'avait serrée dans un étau. J'ai pensé au nom qu'il venait de me dire. Je l'avais déjà entendu quelque part, mais je n'arrivais pas à me rappeler où. Tout à coup ça m'est revenu – Pierrot, c'était le ferrailleur, le propriétaire de la casse. Et celui qui m'en avait parlé, c'était forcément le type. Il m'avait dit aussi que question curiosité, il n'avait pas son pareil. Si c'était vrai, j'allais devoir me tenir à carreau, il ne s'agissait pas qu'il vienne fourrer son nez dans mes affaires. Et toi, comment tu t'appelles? a demandé Pierrot. Euh – moi, c'est Polo, ai-je répondu. C'est marrant, a-t-il dit, Polo, c'est une marque de voiture, ça. Oui, ai-je dit, c'est marrant. Je ne trouvais pas ça tellement marrant, mais puisqu'il semblait m'avoir à la bonne, je n'allais pas commencer à le contredire.

Alors, a-t-il insisté, que dis-tu d'un petit caoua? Écoute, ai-je dit, je ne me sens pas dans mon assiette, je n'ai pas le courage de me taper un bistrot, si ça ne t'ennuie pas je préférerais rentrer tout de suite. Qui te parle de bistrot? a-t-il fait. J'ai du café dans ma cambuse. Allez, viens avec moi, on ne va pas se quitter ainsi. D'accord, ai-je dit de guerre lasse, un petit jus et puis je regagne mes pénates. Encore un mot que j'étais content d'avoir placé – là j'étais en train de marquer des points. On s'est mis à longer le canal, avec le chien qui trottait derrière nous à bonne distance. Je ne savais pas où Pierrot m'emmenait, d'abord j'ai pensé qu'il devait habiter dans les alentours, puis je me suis rendu compte qu'on suivait le chemin de la casse. Je me suis demandé pourquoi il prenait cette direction, peut-être qu'il y allait par habitude, ou qu'il avait laissé sa voiture là-bas. On a fait silence pendant un moment. Pierrot me jetait des petits coups d'œil en coin, je voyais bien que quelque chose le chipotait. Alors, je me suis vu moi-même, avec mes vêtements maculés de boue et ma façon bizarre de marcher, le buste penché en avant, sautant presque un pas sur deux, en effet il y avait de quoi être surpris. Tu crèches dans les environs? a demandé Pierrot. Euh, non, pas vraiment, ai-je répondu, j'habite plutôt en ville. En fait, je suis juste venu me balader. Te balader? a-t-il dit. Dans un bled pareil? Dis donc, t'as de curieuses distractions, toi. J'aime bien me promener le matin, l'ai-je assuré. Remarque, si je peux me permettre, tu es en train de faire la même chose. Oui, mais moi, a-t-il expliqué, c'est pour sortir Joseph, sans ça il me viendrait pas à l'idée de me promener par ici. Et puis t'as vu comment t'es fringué? Comment ça se fait que t'as même pas une veste ou quoi? Je n'ai rien répondu. Pierrot s'est tu une minute ou deux, puis il est revenu à la charge. Qu'est-ce qui est arrivé à ton pull? a-t-il demandé. Ça m'a fait un choc, j'ai pensé tout de suite au flingue, j'ai cru qu'il l'avait vu qui dépassait, mais apparemment ce n'était pas le cas. Je l'ai renfoncé discrètement dans ma ceinture et j'ai tiré sur le bord de mon pull. Hein, a-t-il insisté, qu'est-ce que t'as fait? On dirait que tu t'es roulé dans la gadoue. Oh ça, ai-je dit, avec un petit rire qui sonnait faux. Je cherchais une explication plausible, mais comme je n'en trouvais aucune, je lui ai dit la première chose qui me passait par la tête. Eh bien, ai-je expliqué, je creusais un trou dans le jardin, mon pied a glissé et je suis tombé dedans. Ça, c'est malin, a-t-il fait. Et pourquoi tu creusais un trou? Comme ça, ai-je dit. Comme ça, a-t-il répété. À huit heures du matin, par ce temps infect. Oui, ai-je dit, je n'arrivais plus à dormir. Alors comme ça, a-t-il continué, quand t'arrives plus à dormir, tu vas dans ton jardin et tu creuses des trous, c'est comme qui dirait ton hobby? Écoute,

Polo, je te connais pas encore très bien, mais tu m'as l'air d'un drôle de pistolet. Et tu voulais mettre quoi, dans le trou? Un cadavre? Hein, je te parie que tu voulais enterrer un cadavre? Tout juste, ai-je fait, comment tu as deviné? Et à la place, t'es tombé dedans et t'as failli t'enterrer toi-même? a-t-il poursuivi. Parce que de la gadoue, t'en as fichu sur ton pantalon et jusque dans tes cheveux. Et puis ça expliquerait pourquoi t'as la patte qui traîne. Oui, ai-je fait, c'est exactement ça, on ne peut rien te cacher.

On a continué à marcher sans rien dire. Je me demandais ce qui m'avait pris de parler de cette histoire de trous. J'aurais pu trouver autre chose, n'importe quoi, mais pas un truc aussi débile. Maintenant qu'il me tenait, il n'allait plus me lâcher, il avait l'air terrible comme bonhomme, sur ce point-là le type n'avait pas menti. Par contre, ce que j'avais du mal à croire, c'est ce qu'il m'avait dit de son rôle dans l'affaire de la Mercedes. Pierrot était curieux comme une pie, mais c'était un brave type, et apparemment honnête. Je l'imaginais mal dans la peau d'un magouilleur, d'un escroc qui aurait trempé dans la combine dénoncée par le type, cette vaste conspiration impliquant selon lui un tas de gens corrompus. De fil en aiguille, j'en suis venu à repenser à tout ce qu'il m'avait raconté au sujet de l'épave. Qu'elle avait été amenée là par la dépanneuse du garage Fauconnier, avec la bénédiction de l'inspecteur Delmarcelle et la complicité de Pierrot. Que le réservoir contenant le liquide de freins avait été remplacé et rempli avant le transport sur le site de démolition. Que tout avait été fait pour mettre hors de cause la responsabilité du garagiste, et ainsi de suite. Mais à bien y réfléchir, il existait une explication beaucoup plus simple à tout ceci, tellement simple même que je m'étonnais de ne pas y avoir pensé plus tôt. La Mercedes qui se trouvait dans la casse n'était pas celle que conduisait la fille du type, mais une épave qui par hasard était déjà là avant l'accident. Le type avait dû faire le tour des démolisseurs avant de tomber sur un modèle à peu près identique. Après avoir trouvé ce qu'il cherchait, il s'était rendu de nuit sur le site, avait remplacé lui-même le réservoir et l'avait rempli de liquide de freins. Quant à la composition de celui-ci, il avait pu me raconter tout ce qu'il voulait, puisque de toute manière je n'étais pas en mesure de vérifier ses dires. En somme, le type avait tout manigancé de A à Z, dans le seul but de me prendre au piège. Je suis resté quelque temps sur cette hypothèse, qui avait le mérite de tout éclaircir de manière cohérente et de me disculper de l'accusation de faute professionnelle. Puis, au fil des minutes, l'évidence s'est effilochée, j'ai de nouveau été saisi par le doute, peut-être mon imagination était-elle en train de me jouer des tours.

J'ai dû laisser là mes réflexions, car entretemps on était arrivés à la casse. Le pick-up Dodge blanc était garé près de la clôture. Pierrot a sorti un trousseau de clés et est allé ouvrir la barrière. Rien que l'idée de remettre les pieds dans cet endroit, ça me retournait complètement les tripes. C'est à toi, tout ça? ai-je demandé d'un air faussement désinvolte. Oui, a-t-il fait, c'est à moi. Pourquoi, ça t'étonne? Non, ai-je dit, ferrailleur, c'est un métier comme un autre. C'est pas un métier comme un autre, a-t-il grogné, c'est un putain de métier de merde. Tous les jours à désosser des bagnoles, moi j'appelle pas ça une vie. Et puis il y a pas que ça. Viens un peu par ici, je vais te montrer un truc, tu vas pas en croire tes mirettes. Il m'a emmené à l'endroit où se trouvaient les sièges de voitures et le pare-brise posé sur les pneus. Le feu était éteint, il n'en restait qu'un tas de cendre noire et luisante, avec autour quelques bouts de bois à moitié calcinés. Alors, a-t-il fait, qu'est-ce que tu dis de ça? Il m'observait, guettant ma réaction. C'est sûrement des gosses, ai-je dit. Tu ne crois pas que c'est des gosses? Oui, a-t-il répondu, c'est bien possible. En tout cas, ce serait un des miens, je lui flanquerais une de ces raclées, il s'en souviendrait pendant longtemps. Il a pris le pare-brise et l'a mis sur le tas avec les autres, puis il a fait de même avec les pneus et les sièges. Il a examiné les restes de feu, les a remués un peu avec ses doigts comme s'il y cherchait quelque chose. Là je me suis senti mal, j'avais peur qu'on ait laissé un indice, un papier avec des indications compromettantes. Mais au bout d'un moment il s'est relevé et il a craché sur les braises éteintes. Tu as découvert ça quand? ai-je demandé. Cette nuit, a-t-il répondu. J'étais comme toi, j'arrivais pas à dormir, et puis voilà que j'entends un coup de feu. J'habite pas loin, tu sais, la petite bicoque rouge? L'ancienne maison de l'éclusier, tu as dû la voir en venant. Enfin, peu importe. J'enfile ma veste, je saute dans le camion, et quand j'arrive ici, je vois ce que tu as vu, à part que le feu brûlait encore. Ils avaient installé leur petit bivouac, tranquilles les mecs. Bordel, mais qu'est-ce qu'ils venaient foutre ici, si c'est pas pour chourer de la marchandise? Hein, tu peux me l'expliquer, toi? Peut-être qu'ils voulaient faire un barbecue, ai-je dit en plaisantant. Ouais, a-t-il fait, c'est ça, un barbecue. Avec des brochettes de pneus et de la salade de boulons, arrosés d'un filet d'huile de vidange. Première pression à froid, ai-je ajouté, pour ne pas être en reste. Non, a dit Pierrot, y a pas à tortiller avec ça, ces mecs c'est des tarés, un point c'est tout. N'empêche, si je les avais devant moi, je te jure qu'ils passeraient un sale quart d'heure. Encore heureux qu'ils aient pas pété le cadenas. D'habitude, c'est ce qu'ils font, ils tirent une balle dedans et ils entrent carrément avec leur bagnole, mais ce coup-ci ils ont dû passer sous la clôture. C'est fou, j'ai dit, les gens de nos jours, ils ne respectent plus rien. Ouais, il a fait, comme disait je sais plus qui, la propriété c'est le vol. Eh ben, ici c'est le contraire, c'est la propriété qu'on vole. Avec ce qu'ils m'ont déjà fauché il y aurait de quoi ouvrir un magasin, des fois je me demande si je ferais pas mieux de laisser tout ouvert, entrez et servez-vous, surtout ne vous gênez pas, c'est le patron qui régale.

J'ai respiré un grand coup. Pierrot n'avait pas l'air de me soupçonner. D'ailleurs, à bien y réfléchir, il n'avait aucune raison de le faire. Il m'avait rencontré au bord de l'eau, cela ne signifiait pas que j'étais l'un des visiteurs nocturnes. Par contre, ce qui ne m'a pas rassuré du tout, c'est quand il s'est dirigé vers le bâtiment en blocs. Parce que là des indices, il allait en trouver, et des gros. Il s'est approché en fronçant les sourcils. Quand il a vu la grille par terre et la fenêtre cassée, il a serré les poings en lâchant une kyrielle de jurons. Putain de bordel de merde, y en a vraiment marre, a-t-il dit. Ça, si tu veux mon avis, c'est pas des gosses, les gosses je les connais, ils font pas des choses pareilles. Crénom de Dieu, si jamais je tenais l'enculé qui a fait ça, je te lui démolirais sa gueule qu'il se reconnaîtrait pas dans une glace. Je n'ai rien répondu, il valait mieux que je fasse profil bas, de toute façon il était tellement énervé qu'il n'aurait pas entendu ce que je disais.

Il a ouvert la porte et on est entrés dans la baraque. J'ai fait semblant de regarder autour de moi, comme si c'était la première fois que j'y venais. Pendant ce temps-là, Pierrot examinait la pièce dans ses moindres recoins, inspectait les tiroirs et les armoires pour voir si rien n'avait disparu. Et alors? ai-je demandé, ils t'ont pris quelque chose? On dirait bien que non, a-t-il répondu, un peu calmé. C'est encore plus étonnant. Remarque, pour ce qu'il y a à voler ici. Tout de même, ai-je protesté. La machine à café, la télévision, le frigidaire. Tu parles, Charles, a-t-il fait, en revendant tout ce qu'il y a ici, y aurait pas encore assez pour se payer une pipe. Pourquoi tu ne laisses pas ton chien à l'intérieur? ai-je demandé. Tu rigoles? a-t-il dit. Tu l'as bien regardé, ce clebs? Il pourrait venir un régiment de para-commandos, il serait même pas fichu de faire aller son avertisseur, il se contenterait de leur lécher la main en remuant la queue. Avant, quand il fonctionnait encore, je le laissais parfois pour la nuit, mais il s'emmerdait tellement qu'il creusait des trous sous le grillage, il se carapatait jusque chez moi et le matin je le retrouvais derrière la porte, assis sur son derrière à attendre que je lui ouvre.

Il m'a demandé comment je voulais mon café, j'ai dit avec du lait et du sucre, il a dit y a pas de lait ni de sucre, noir, ça ira? Parfait, ai-je dit. Il a mis un gobelet en plastique sur la grille et a enfoncé une touche de la machine qui s'est mise à crachoter. Excuse-moi, ai-je dit, tu n'aurais pas une aspirine? Pourquoi, a-t-il demandé, t'as fait la java hier soir, et aujourd'hui t'as mal aux cheveux? C'est ça, ai-je dit, la fièvre du vendredi soir. Aujourd'hui, on est samedi, je te fais remarquer, a-t-il dit en me tapotant l'épaule. Tu devais être drôlement schlass pour pas te souvenir du jour qu'on est. À part ça, non, j'ai pas d'aspirine, moi je fais tout avec les plantes. Seulement j'en ai pas ici, elles sont à la maison, c'est ma bergère qui s'en occupe. Et c'est efficace? ai-je demandé – pas tellement que je tenais à le savoir, plutôt pour qu'il oublie mes occupations de la veille. Des fois, a-t-il dit. À condition que t'y croies, il y a des chances que ça marche. En tout cas, une chose est sûre, ça peut pas te faire de tort. Tiens, l'autre jour, je lui ai fait une blague, à ma femme. Elle avait ses ragnagnas, elle se plaignait qu'elle avait mal au ventre, alors je lui ai donné de l'eau tiède avec du sucre, au bout d'un quart d'heure ses douleurs avaient disparu. Après, quand elle a su ce que j'avais fait, elle a plus voulu baiser pendant une semaine. Il m'a tendu le gobelet. Le café était infect, sans doute un de ces trucs à la chicorée, j'ai compris pourquoi lui n'en prenait pas. Il a sorti une bouteille de lait du réfrigérateur, qu'il a bue à longs traits à même le goulot. Pour mon ulcère, a-t-il dit en rotant. Je dois en boire deux litres par jour. Paraît que le jus de chou c'est bon aussi. Tous les choux, mais surtout le chou rouge. Le problème, c'est que j'ai horreur du chou, rien que l'odeur ça me donne envie de gerber. Oui, ai-je dit, moi c'est pareil, enfin à part les brocolis. Les brocolis, a-t-il dit, c'est ce qu'il y a de pire. D'ailleurs, les brocolis c'est pas vraiment du chou. J'étais d'avis qu'il se trompait, mais je n'ai pas voulu le contrarier. J'ai sorti le paquet de cigarettes de ma poche, j'en ai allumé une et j'ai tiré une longue bouffée dessus.

Tu sais, ai-je dit après un moment de silence, histoire qu'il ne cogite pas trop, je repense aux voyous qui sont venus la nuit, ça ne m'étonne pas qu'ils ne t'aient rien volé. Aujourd'hui, les gens ne s'arrêtent plus à ça, ils cassent juste pour le plaisir de casser, c'est en quelque sorte de la violence gratuite. Une fois, ils m'ont fracturé ma bagnole, il y avait de la bouffe à l'intérieur, j'avais oublié de la sortir après les courses, eh bien tu me croiras ou pas, mais ils ont tout laissé dedans, j'en ai été quitte pour une nouvelle portière. Je n'inventais rien, ça m'était effectivement arrivé, sauf que ça remontait à près de dix ans, à l'époque où j'avais encore mon permis. C'est quoi ta bagnole? a demandé Pierrot. Me dis pas que c'est une Polo, je te croirais pas. J'ai été pris de court par sa question, pourtant j'aurais dû m'y attendre, les voitures c'était quand même sa partie. Une Mercedes, ai-je répondu. Il a émis un petit sifflement. Une

Mercedes, dis donc, on se refuse rien à la casa Polo. Oh, mais tu sais, c'est une occase, un ancien modèle. Ça, c'est comme moi, j'ai beau être dedans toute l'année, j'ai même pas de quoi m'en payer une nouvelle. Et elle est où, ta beauté ? À la – dans son garage. Oui, tu vois, en fait, je suis venu à pied. T'habites en ville, et t'es venu à pied jusqu'ici ? Avec ta patte esquintée et ton dos tout de traviole ? T'es complètement malade, toi, mon pote. Attends, une petite minute, que j'essaie de comprendre. D'abord, tu me racontes qu'un samedi matin, première chose que tu fais en te levant, au lieu de sauter ta bonne femme, c'est aller creuser un trou dans ta pelouse. Ce qui entre parenthèses a dû te prendre un bon moment, vu que tu l'as fait assez profond pour que quand tu y tombes, t'en ressortes aussi amoché que si un camion t'était passé dessus. Ensuite, au lieu d'aller soigner tes bobos et changer de vêtements, ce qui aurait pas été idiot vu le temps qu'il fait, tu décides d'aller te dégourdir les jambes. Tu pourrais faire gentiment le tour du pâté de maisons, mais non, toi il te faut du pittoresque, des espaces sauvages où l'homme n'a jamais mis le pied, ou s'il l'y a mis un jour il l'a retiré aussitôt, parce que plus pourrave que ce bled, ça n'existe pas. En plus de ça, au lieu de prendre ta Mercedes bien confortable, tu te tapes tout le trajet à pattes depuis chez toi jusqu'ici, ce qui doit faire au bas mot dans les cinq ou six kilomètres. Alors, mon Polo, tu m'excuseras, mais ce que tu me racontes, ça tient pas vraiment debout. Hein, qu'est-ce qui te semble?

Oui, qu'est-ce qui me semblait, c'était une bonne question. L'ennui c'est que je n'avais rien à y répondre. Je me suis dit qu'il fallait que je trouve un truc énorme, tellement énorme que ça lui clouerait le bec, mais pour l'instant je ne voyais pas lequel. J'ai songé un moment à m'enfuir, à le planter là sans plus d'explication. Puis j'ai réfléchi que dans l'état où j'étais, même avec trente kilos de plus à porter, Pierrot n'aurait aucun mal à me mettre la main dessus, sans compter qu'il avait son camion et qu'il connaissait l'endroit comme sa poche. Seigneur, ai-je pensé, dans quoi suis-je encore allé me fourrer là? Une nuit entière en compagnie d'un type à moitié dingo qui se prend pour un justicier, et au moment où je crois enfin en avoir fini avec lui, il faut que je tombe sur un autre type qui a l'air sympa et tout, mais qui s'amuse à me cuisiner pire qu'un flic – ce cauchemar finira-t-il donc un jour? Eh, Polo, à quoi tu penses? a fait la voix de Pierrot. T'as toujours pas répondu à ma question. Pardon, ai-je dit, j'avais la tête ailleurs. C'était quoi encore ta question? C'était rapport à l'histoire que t'es venu à pied jusqu'ici. Non, vraiment, tu m'as cru? J'ai dit ça pour te charrier, en fait je suis venu en voiture. Bon, j'aime mieux ça, vu comment t'es arrangé, je t'imaginais pas faire tout ce trajet à pinces. Dis donc, mine de rien, t'es un sacré farceur, toi. Et où tu l'a mise, ta Mercedes? C'est ça le problème, ai-je dit, je ne la retrouve plus. J'aurais juré l'avoir laissée hier près de l'entrepôt. Tu sais, le grand bâtiment en briques. Hier? a-t-il répété en fronçant les sourcils. Pourquoi tu parles de hier? Moi, j'ai parlé de hier? ai-je fait. Je voulais dire aujourd'hui, bien sûr. Je ne sais pas ce que j'ai, je me crois toujours hier, depuis hier c'est comme ça, je n'arrive pas à me dire qu'on est déjà demain, enfin qu'aujourd'hui est demain et pas hier, tu comprends? Ce que je comprends, a-t-il dit, c'est que t'es brouillé avec les dates. Oui, c'est ça, ai-je dit, je suis brouillé avec les dates, c'est tout à fait ça. Et pas seulement avec les dates, a-t-il dit. Il me semble que t'es brouillé en général. Tes clés au moins, tu les as? Les clés? ai-je dit. Quelles clés? Putain, a-t-il fait, les clés de ta voiture, de quoi veux-tu que je parle? J'ai fait semblant de fouiller dans mes poches, en veillant à ne pas trop faire bouger le flingue, qui en ce moment était en train de descendre au fond de mon slip. Eh bien, il semble que non, ai-je dit. Je me suis tapé sur le front. Suis-je bête : je les ai laissées dans ma veste, qui se trouve dans la voiture. Qui est elle-même fermée à clé, a ajouté Pierrot. Allez, je te refais un café, je crois que t'en as bien besoin. Merci, ai-je dit, c'est pas de refus. Euh – noir et sans sucre, si possible.

Pendant que le café passait, il s'est mis à jouer avec la bouteille en plastique. Il l'écrasait dans sa main, puis il la relâchait en produisant des bruits incongrus, on aurait dit un anus artificiel qui essaie de parler. Ça avait beau l'amuser comme un gosse, ça ne l'empêchait de m'observer avec ses petits yeux de fouine. Dis donc, qu'est-ce que tu t'es fait là? a-t-il demandé. Où ça? ai-je dit, vaguement inquiet. Ben là, sur ton front, a-t-il fait, en montrant le sien de l'index. J'ai tâté avec mes doigts et j'ai senti la bosse qui avait gonflé, elle devait maintenant avoir la taille d'un petit œuf. Oh ça, ce n'est rien, ai-je dit. Un accident de travail. Pendant que tu creusais ton trou? a-t-il demandé. Oui, ai-je dit, tout juste. Je me suis donné un coup avec la bêche, je suis assez maladroit, en fait. C'est rien de le dire, il a approuvé. Plus maladroit que ça tu meurs, comme disait le cancéreux. Pardon? ai-je dit. Cancer, tumeur, il a répété. Ah, ça y est, j'y suis. Excuse-moi, j'avais pas capté. Il te faudrait une parabole. Pour capter, il te faudrait une parabole. En plus, voilà qu'il faisait des calembours, à se demander où il allait s'arrêter. D'accord, ai-je dit, d'accord. Ouh là là, t'es très en forme, si tôt le matin. Toi, par contre, a-t-il dit, t'as pas l'air en forme du tout. Je sais pas ce que t'as fait cette nuit, mais je crois qu'il vaudrait mieux pas le raconter à ta femme.

Il a allumé le téléviseur, une image en noir et blanc est apparue, toute petite et neigeuse, avec une friture épouvantable. Il s'est mis à tripoter l'antenne, mais il avait beau la faire tourner dans tous les sens, l'image dégueulait tellement qu'on n'aurait pas distingué un cheval de course d'un dromadaire. Toi aussi, il te faudrait une parabole, j'ai dit. Il n'a pas relevé le mot, il changeait les chaînes en ronchonnant. Tout à coup, il s'est exclamé, regarde, il y a Columbo. Il y a quoi? j'ai dit. Il y a Columbo, il a dit. Ah oui, j'ai dit, Columbo. Tu connais? il a dit. Si je connais, j'ai dit, j'adore Columbo. Moi aussi, il a dit, c'est mon feuilleton préféré. Ce que j'aime bien dans cette émission, c'est qu'on doit pas se creuser le cigare, on sait tout de suite qui a commis le crime. Après, il y a Columbo qui s'amène, avec sa vieille Peugeot et son vieil imperméable, et à force de poser des questions et d'aller renifler partout, il finit toujours par coincer l'assassin. Il m'a tendu la paume pour que je tape dedans, puis il a fait pareil avec la mienne. Mon Polo, a-t-il déclaré, je vais te dire une chose : toi et moi, on est faits l'un pour l'autre. Hein, qu'est-ce que t'en penses? Oui, ça c'est sûr, ai-je approuvé. J'ai de la veine d'être tombé sur toi. Vaut mieux tomber sur moi que tomber sur une bêche, a-t-il dit. J'ai essayé de grimacer un sourire. Je peux te poser une question? a-t-il demandé après un moment. Vas-y, ai-je fait d'un air résigné. Je m'attendais au pire, mais je n'avais pas vraiment le choix. Tu fais quoi comme boulot au juste? J'ai réprimé un soupir de soulagement. Oh, ai-je répondu, un peu de tout. À la base, je suis électricien. Ah ben, ça tombe pile, a-t-il dit. Elle est très bonne, ai-je fait. Qu'est-ce que tu racontes? a-t-il dit. Pile, électricien. C'est très bon. Et en quoi est-ce que ça tombe pile? Cette télé, elle est patraque, t'y jetterais pas un coup d'œil? Écoute, moi ma partie, c'est plutôt électricien automobile, les télés je n'y connais pas grand-chose. Et puis c'est un vieux modèle, ça m'étonnerait qu'on trouve encore des pièces. Ça fait rien, a-t-il dit, laisse tomber. Mais je sentais bien qu'il n'était pas convaincu par mon explication.

On s'est remis à regarder l'écran tous les deux. On voyait un homme en gabardine sortir d'une voiture, bien malin qui aurait pu le reconnaître, on m'aurait dit c'est l'inspecteur Derrick, j'aurais été incapable d'affirmer le contraire. En tout cas sa bagnole, ce n'était pas une Peugeot 403, plutôt un gros modèle genre Mercedes. Du coup, ça m'a à nouveau fait penser au type, je me suis demandé où il pouvait se trouver à cette heure. Sans doute chez lui, bien au chaud dans son pieu, un grog et une boîte d'aspirine sur la table de chevet, à lire un de ses fameux romans avec des phrases d'un kilomètre, pendant que moi j'étais en train de me cailler les meules dans cette glacière. Tout cela parce que j'avais eu la mauvaise idée de vouloir lui porter secours, alors que lui n'avait pas hésité un instant à m'abandonner loin de toute civilisation. À moins qu'il ait été pris de remords et qu'il soit revenu tourner dans le coin, on dit que les criminels reviennent toujours sur les lieux de leur forfait. Mais ça n'avait pas de sens, le type n'était pas un criminel, du moins pas dans le sens légal du mot. Ce qui était sûr par contre, c'est qu'il s'était bien payé ma tête, il n'avait pas intérêt à se trouver sur mon chemin, parce que je lui gardais un chien de ma chienne, et que je me ferais un plaisir de le lui lâcher dans les pattes.

28

À quoi tu penses encore ? a fait la voix de Pierrot. J'ai eu un petit sursaut, comme si j'avais été pris en faute. Oh, à rien, ai-je dit. À rien, a-t-il dit. T'es là, avec ta bouche grande ouverte, on dirait que tu vas faire des bulles, je suis sûr que tu penses à quelque chose. Hein, à quoi tu penses ? À rien, ai-je répété. Des trucs sans intérêt. Polo, a-t-il fait, entre amis, on peut tout se dire. Allez, à quoi tu penses ? Si je te le disais, ai-je répondu, tu ne me croirais pas. Vas-y toujours, a-t-il dit. Alors, je me suis entendu lui demander, tu n'aurais pas vu un type par ici ? Je n'avais pas plus tôt dit ces mots que je me serais bien coupé la langue. Qu'est-ce qui m'avait pris de lui poser cette question ? Non content de subir son interrogatoire, voilà que j'allais m'enferrer moi-même, j'aurais voulu me tirer une balle dans le pied que je ne m'y serais pas pris autrement. Peut-être aussi que je commençais à en avoir assez de cette situation, que j'éprouvais le besoin de me libérer de toutes les choses accumulées depuis vingt-quatre heures. Pierrot a réfléchi un moment, puis il a dit, si, j'en ai vu un. Ah, et tu sais où il se trouve ? Ben oui, gros malin, je l'ai devant moi. Non, sérieusement, quel genre de type ? Un grand mince, avec un imperméable et une barbe. Et une Triumph TR5 blanche. Une Triumph TR5 blanche, a-t-il répété. Non, j'ai pas vu de Triumph TR5 blanche. Et j'ai pas vu de grand mince avec une barbe non plus. Pourquoi tu me demandes ça? Oh, ai-je dit, pour rien. Tu me demandes ça pour rien? s'est-il exclamé. Tu me parles d'un type avec une Triumph TR5 blanche, tu me demandes si je ne l'ai pas vu, et puis tu me dis que c'est pour rien. C'est quoi encore ces cachotteries?

Là, du coup, il était redevenu méfiant. Normal, à sa place j'aurais réagi pareil. D'abord il voit un type qu'il ne connaît pas, puis ce type lui demande s'il n'a pas vu un autre type qu'il ne connaît pas non plus, c'est-à-dire que lui, Pierrot, ne connaît pas, mais que l'autre type, c'est-à-dire moi, connaît, il faut bien dire que tout cela sentait l'embrouille. Dis donc, Polo, a-t-il poursuivi, je suis en train de me poser une question : t'es sûr que t'es vraiment électricien? Tu serais pas plutôt détective, ou dans le style? Moi, détective? ai-je dit en m'efforçant de sourire. Est-ce que tu trouves que j'ai une tête de détective? C'est vrai que t'as pas l'air des plus dégourdis, excuse-moi de te le dire. D'un autre côté, si t'étais vraiment détective, m'est avis que ça serait pas écrit sur ton front. Je te demande ça parce que l'autre jour, un gus est venu me trouver ici, soi-disant qu'il cherchait une portière pour sa bagnole. Une Mercedes, tiens, justement. On va regarder ensemble, on ne trouve pas de portière comme la sienne, alors on se met à parler de choses et d'autres, puis voilà qu'il me pose un tas de questions sur les Mercedes. Moi, pendant qu'on parle, je vois qu'il fait aller ses yeux partout, pour finir je lui demande ce qu'il cherche, à part une portière qu'il y a pas. Oh rien, qu'il me dit – un peu comme toi, tu vois, il cherche quelque chose, et puis quand on veut savoir ce qu'il cherche, il répond rien. Tout à coup je me dis, ce mec-là, il veut me tirer les vers du nez. Comme je suis pas né de la dernière pluie, j'ai eu vite compris son petit jeu, et il en a été pour ses frais, poil au mollet.

J'ai fait le rapprochement avec ce que m'avait raconté le type. Il me paraissait évident que le détective qu'il avait engagé et le visiteur trop curieux dont parlait Pierrot étaient la même personne. Et apparemment il me soupçonnait d'être quelqu'un de pareil, une sorte d'espion venu chercher Dieu sait quoi, à ceci près que celui qui tirait les vers du nez à l'autre, il me semble que c'était plutôt lui. Quoi qu'il en soit, il était temps que je me sorte de ses pattes au plus vite, avant que ça commence vraiment à sentir le vinaigre. Bon, ai-je dit, merci pour tout, mais il va falloir que je m'arrache, c'est qu'il ne fait pas très chaud dans ton petit palais. Déjà ? a grogné Pierrot. Oui, ai-je dit, ma femme m'attend, et puis j'ai un travail à terminer. Tu vas continuer à creuser ton trou ? a-t-il fait, et là-dessus il s'est mis à rire. C'est ça, ai-je dit, ça me réchauffera un peu. Attends, a-t-il dit, je vais te reconduire et t'aider à le creuser, ton trou. Un coup de main d'un ami, ça se refuse pas. C'est gentil de ta part, ai-je protesté, mais ne te dérange pas pour moi, ça me fera du bien de marcher. Mal foutu comme tu es? a-t-il dit. Ma parole, t'es maso ou quoi? Dis-moi plutôt où c'est que tu crèches. Non, laisse, ai-je dit, ne te dérange pas pour moi, je vais me débrouiller. Allez, Polo, fais pas tant de chichis, si on peut plus se rendre un service, à quoi ça sert l'amitié, je te le demande. En plus j'ai rien à foutre aujourd'hui, ça me fera une distraction de te poser chez toi. Il s'est levé et a agité son trousseau de clés. Bon, d'accord, ai-je dit, à court d'arguments. Lorsque je me suis levé à mon tour, j'ai senti quelque chose de froid glisser le long de ma jambe. Le revolver – j'avais oublié qu'il était là. J'ai essayé de le faire remonter, mais c'était impossible. Alors j'ai carrément fourré ma main dans mon pantalon, comme si je voulais remettre mes joujoux en place. Qu'est-ce que tu fabriques? a demandé Pierrot. T'as des problèmes avec ton petit matériel? Oui, ai-je dit, je crois que j'ai les roubignolles gelées. Il s'est marré un bon coup, puis il m'a donné une bourrade dans le dos. Encore bien que t'as un boulot peinard, a-t-il dit, si tu devais travailler dehors comme moi, tu les aurais plus depuis longtemps, tes roubignolles. Sacré Polo, t'es vraiment une petite nature.

Quand on est sortis de la baraque, il a replacé la grille sur la fenêtre en lâchant une nouvelle salve de jurons. Puis on est montés dans son pick-up et on s'est mis à sillonner les allées l'une après l'autre. J'ai revu les endroits par où j'étais passé la veille, j'ai même revu le trou dans lequel j'étais tombé, une espèce d'ancien chenal pour l'écoulement des eaux usées. Pendant qu'on roulait, Pierrot me jetait des regards avec ses drôles de petits yeux, tellement enfoncés dans son visage qu'ils n'étaient pas plus gros que deux têtes d'épingles. C'est qui, le type que tu cherches? a-t-il demandé au bout d'un moment. J'étais certain qu'il allait revenir là-dessus. Je me suis dit qu'il fallait que je lâche du lest, sinon je n'arriverais jamais à m'en sortir. J'ai été à deux doigts de tout lui déballer, juste pour qu'il me laisse tranquille, heureusement je me suis repris à temps. Le mieux était de lui dire une partie de la vérité, mais seulement une partie. Par exemple, je pouvais lui parler du type, raconter ce qu'il faisait comme boulot, et ainsi de suite. Mais pas question d'évoquer ce qui s'était passé la veille, l'histoire du contrat, le suicide manqué, l'accident de sa fille et bien sûr les cent mille euros. C'est un truc que j'avais appris : quand on est obligé de mentir, il est préférable de ne pas trop s'écarter des faits. Sinon, si vous ne racontez que des craques, il vient toujours un moment où vous finissez par vous couper.

J'ai pris une grande inspiration et j'ai dit, c'est un ingénieur, un copain à moi. Il travaille dans un des bâtiments là-derrière. On avait rendez-vous ce matin, il voulait me montrer quelque chose, mais quand je suis arrivé, je n'ai vu personne. Qu'est-ce qu'il fait exactement, ton copain? a-t-il demandé. Ingénieur en quoi? En balistique, ai-je répondu. En balistique? a-t-il répété. Les armes et tout ça? Non, ai-je dit, pas les armes, plutôt les voitures. Et c'est quoi qu'il voulait te montrer, ton copain ingénieur? a-t-il continué. J'ai repensé à notre conversation d'hier soir, à ce que le type m'avait raconté sur les recherches de son père. Eh bien, ai-je dit, je peux essayer de t'expliquer, mais je te préviens, c'est assez spécial. Il a mis au point des modèles mathématiques, des sortes d'équations pour les calculs d'impact. Et ce n'est pas tout : il a aussi inventé l'ABS. Il a reçu des prix partout dans le monde, il a même été fait docteur d'une université américaine, je ne serais pas étonné qu'un jour on lui propose le prix Nobel. Putain, a fait Pierrot d'un air admiratif. Ça doit être un cerveau, ton copain? Je te crois, ai-je dit, t'en prends gros comme une noisette, il contient plus de choses que les deux nôtres ensemble. Putain, a répété Pierrot. Dire qu'on vit à côté de gens pareils et qu'on sait même pas qu'ils existent. Il a réfléchi quelques instants. Tu sais quoi? a-t-il dit. Un truc qui serait vraiment chouette? Non, ai-je répondu. Eh

ben, ce serait que tu me le présentes, ton ami. Des intelligences de ce calibre-là, ça se rencontre pas sous le pas d'un cheval. J'étais incapable de dire s'il parlait sérieusement ou s'il ne croyait pas un traître mot à mes explications. Ce qui était sûr, c'est que dans un cas comme dans l'autre, je n'avais pas intérêt à ce que la conversation s'éternise. D'accord, ai-je dit, j'essayerai de nous arranger ça un de ces jours. Pourquoi un de ces jours? Pourquoi pas tout de suite? Je vous invite à déjeuner à la maison. Hein, qu'est-ce que t'en penses? Ce serait avec plaisir. Seulement le problème, comme je te l'ai déjà dit, c'est que je ne sais pas où il est. Il peut pas être bien loin, a dit Pierrot, ça coûte rien d'aller voir. La boîte où il travaille, c'est laquelle exactement? Une avec des murs rouges et des plantes aux fenêtres, ai-je dit. Je crois que je vois où c'est, a-t-il dit. Allez, on y va, en même temps, on regardera pour ta Mercedes.

On a changé d'itinéraire et après avoir fait quelques détours, on est arrivés devant le bâtiment en question. Voilà, c'est ici, a dit Pierrot. Je vois bien les plantes aux fenêtres, mais pas plus de Triumph que de poil dans le soutien-gorge de ma femme. Peut-être qu'il sera venu à pied, ai-je dit. Il aime bien marcher, il dit comme ça que ça lui fait une détente. Oui, a-t-il dit, quand on est dans la balistique, on a besoin de détente. Comme je ne réagissais pas, il a fait le geste d'actionner une arme. On est descendus du camion et on a fait le tour du bâtiment. Les portes étaient fermées, alors on a frappé aux fenêtres, mais personne n'est venu ouvrir, et pour cause. Bon sang de bonsoir, me disais-je, comment je vais faire pour me tirer de là ? C'est quand même un comble : hier je n'arrivais pas à entrer dans ce putain d'endroit, et maintenant que j'y suis il n'y a plus moyen d'en sortir. À mon avis, tu te goures, a dit Pierrot. Ici, c'est une société d'import-export. Et là à côté, c'est une boîte d'engrais chimiques. Tu m'excuseras, ai-je dit, j'ai un peu mal à me situer, ces constructions se ressemblent toutes, en plus c'est la première fois que je viens dans le coin. Dis donc, mon Polo, a-t-il fait, tu serais pas en train de me faire marcher, par hasard ? Ton collègue, t'es sûr qu'il existe vraiment ? Bien entendu qu'il existe, me suis-je offusqué. Pourquoi voudrais-tu que – non, à mon avis, il doit avoir eu un empêchement de dernière minute. D'habitude c'est quelqu'un de très ponctuel, pas le genre à manquer un rendez-vous. Ça, a dit Pierrot, ce serait plutôt ton genre à toi. Vu comment que t'es brouillé avec les dates, m'étonnerait pas que tu te sois trompé de jour. Enfin bon, admettons que ce soit comme tu dis.

On est remontés dans le pick-up et je l'ai suivi machinalement. J'aurais dû lui demander de me laisser là, mais maintenant c'était un peu tard, on était déjà repartis en sens inverse. Apparemment, il avait oublié sa proposition de me reconduire, ou il avait changé d'avis depuis qu'il m'avait invité à partager sa pitance. Dans un sens, ça m'arrangeait plutôt, je ne tenais pas à ce qu'il vienne chez moi et qu'il découvre qu'il n'y avait pas de femme ni de trou dans le jardin. D'ailleurs, il n'y avait même pas de jardin, juste une petite cour cimentée à l'arrière de la maison. Au bout de quelques centaines de mètres, il s'est tourné vers moi et m'a dit : ton copain, pourquoi tu lui téléphones pas? T'as bien un téléphone portable? Oui, naturellement, mais je l'ai laissé à la maison. C'est pas grave, t'as qu'à prendre le mien. Il a fouillé dans la poche de son jogging et m'a tendu un portable vert clair plein de taches de graisse. Je l'ai pris entre deux doigts, j'ai fait semblant de réfléchir un moment, puis j'ai appuyé sur les touches au hasard. J'ai mis le téléphone contre mon oreille, il y avait une voix préenregistrée qui disait, le numéro que vous avez composé, etc. Ça pour sûr, j'ai pensé en moi-même, celui-là il ne risque pas d'exister. Je lui ai rendu son téléphone. Désolé, ai-je dit, ça ne répond pas. Mets au moins un message sur le répondeur, a-t-il fait. Euh, le problème, c'est que je ne sais pas comment ça marche. Comment ça, tu ne sais pas comment ça marche? Pour un mec qui est dans la balistique, tu m'as pas l'air d'avoir inventé l'eau chaude. Passe-moi ça, bougre de couillon. Il a arrêté le pick-up et a mis le frein à main. Il a poussé sur une touche du clavier, quand il a vu le numéro apparaître, il a froncé les sourcils. Attends voir, c'est quoi tous ces chiffres? Il m'a montré le téléphone comme si je n'en avais jamais vu un de ma vie. Eh vieux, il a dit, cet engin-là, c'est fait pour appeler des gens, pas pour jouer au loto. Allez, file-moi le numéro de ton copain. Écoute, j'ai dit, je crois que je l'ai oublié. Je n'ai pas la mémoire des chiffres, à l'école j'ai toujours été nul en arithmétique. C'est comme moi, il a répondu, rien dans le ciboulot, tout dans la calculette. Remarque, pour le travail que je fais, c'est pas vraiment gênant. Par contre, s'agissant de balistique, j'ai dans l'idée qu'être bon en calcul, ça doit être drôlement utile, non? À ce moment, j'ignore ce qui s'est passé, il a dû prendre un gros nid de poule, toujours est-il qu'il a calé son moteur et qu'il a eu toutes les peines du monde à le remettre en marche. Je lui ai expliqué que son embrayage était en bout de course, à cause de ce qu'il n'arrêtait pas de patiner sur la deuxième. Il m'a regardé d'un air surpris, il devait se dire que pour un électricien, je m'y connaissais plutôt mieux en mécanique.

Je croyais que l'incident l'aurait déconcentré, mais à peine avait-on fait cent mètres qu'il a remis le couvert. Dis-moi, Polo, ton ami l'ingénieur, à quoi tu lui sers exactement? Oh moi, tu sais, ai-je dit, je m'occupe surtout de la partie pratique. C'est-à-dire? a-t-il insisté.

C'est-à-dire, c'est-à-dire – les tests. Moi, je m'occupe des tests, c'est principalement ça que je fais. Je venais de repenser à un article que j'avais lu dans un magazine automobile. J'essayais de me rappeler ce qu'il disait, mais comme toujours quand on a besoin d'une information, c'est à ce moment-là qu'on n'arrive plus à la retrouver. Quel genre de tests? a demandé Pierrot. Eh bien, ai-je dit, les crash tests, par exemple. Tu sais, les mannequins avec des petites croix dessus? On en met un au volant d'une voiture, et on le lance contre un mur de béton avec une sorte de gros élastique. Un élastique? a-t-il fait, étonné. Oui, enfin, je dis un élastique, c'est pour faire simple, en réalité c'est un propulseur hydraulique, mais n'entrons pas dans les détails. Donc moi, quand le mannequin a percuté le mur, il faut que je l'installe dans une autre bagnole, ainsi on peut passer au test suivant. Pendant ce temps-là, mon collègue pianote sur son ordinateur, il récupère toutes les données pour les analyser. Il a un matériel pas possible, c'est plein de caméras et d'écrans partout, tu te croirais à cap Canaveral. Et c'est quoi le but de l'opération? a demandé Pierrot. Le but de l'opération, ai-je répondu, c'est de mettre au point des airbags plus performants – à mesure que la mémoire me revenait, je commençais à retrouver une certaine assurance. Attends, a dit Pierrot, là je ne te suis plus. Tout à l'heure, tu m'as dit que le type avait inventé l'ABS, et maintenant voilà que tu me parles d'airbag. Si tu veux mon avis, c'est pas tout à fait la même chose. Imagine le mec qui part en voyage, s'il compte sur son airbag pour lui indiquer le chemin, c'est pas demain la veille qu'il risque d'arriver. Oui, ai-je répondu, c'est exact, j'oubliais de le dire, en réalité il a inventé les deux. C'est une sorte d'esprit universel, comment dit-on encore ? Un humaniste, voilà. Le type, c'est un humaniste. Ah ouais, a fait Pierrot, comme s'il voyait de quoi il s'agissait.

D'ailleurs, ai-je ajouté après un moment, on doit écrire un livre ensemble. Ouah, a fait Pierrot, visiblement impressionné. Et c'est quel genre, votre bouquin ? Oh, ai-je dit, c'est une sorte de roman. Un roman sur quoi ? a-t-il demandé. C'est difficile à résumer en quelques mots, ai-je répondu. En gros, disons que c'est deux types sur une montagne, ils n'arrêtent pas de discuter, ils ne sont d'accord sur presque rien, il y en a un qui dit une chose et l'autre qui dit le contraire, puis celui qui disait le contraire change d'avis, il se met à dire pareil que le premier, alors le premier, qui entre-temps a aussi changé d'avis, dit la même chose que disait l'autre, et ainsi de suite. Putain, a fait Pierrot, la prise de tête. Il y a vraiment des gens qui ont rien à foutre dans la vie, pour passer leur temps à pinailler ainsi toute la sainte journée. C'est normal, ai-je dit, c'est un roman philosophique. Et même, pour ne rien te cacher, un roman existentialiste. Un genre qui n'est plus très à la mode, mais justement c'est pour ça qu'on l'a choisi. Pierrot a approuvé d'un hochement de tête. Cela me plaisait bien d'avoir pu replacer ce terme d'existentialiste, j'étais sûr que Pierrot ne savait pas ce que c'était, mais qu'il n'oserait jamais l'avouer devant moi. Il y a un truc que je comprends pas, a-t-il dit. Pourquoi est-ce qu'ils font ça sur une montagne? Si c'est juste pour discuter, ils pourraient le faire n'importe où. Je n'avais pas prévu cette question, il m'a fallu quelques secondes pour trouver la parade. À cause de l'oxygène, ai-je dit. Quand tu es sur une montagne tu respires mieux, et du fait que tu respires mieux il y a ton cerveau qui fonctionne plus vite. Oui, a dit Pierrot, mais s'ils allaient à la mer, ça serait pareil, en plus il y a l'iode, l'iode aussi c'est bon pour le cerveau. Je ne pouvais pas lui donner complètement tort. Je lui ai dit que je n'avais pas réfléchi à cet aspect des choses, qu'il faudrait que j'en parle à mon ami pour voir ce qu'il en pensait. Et ça se termine comment, votre histoire? a encore demandé Pierrot. Ça, ai-je répondu, il vaut mieux que je ne te le raconte pas, sinon ça va tuer le suspense. Parce que tu t'imagines que je vais me taper votre bouquin? a-t-il dit. Moi, des livres, j'en lis pratiquement jamais. L'autre jour, il y a une bonne femme qui téléphone, elle faisait une espèce d'enquête, elle me demande combien j'en lis par an. Ça dépend des années, que je lui dis moi. Donnez-moi une fourchette, elle dit. Entre zéro et un, je réponds. Quand elle l'a eue, sa fourchette à une dent, elle n'a pas insisté, elle a compris qu'elle pouvait rien faire avec, à part piquer des petites saucisses pour l'apéro.

Pendant qu'on discutait ainsi, il s'était mis à rouler de plus en plus lentement, il devait bien faire du deux kilomètres à l'heure. Puis il s'est carrément arrêté, il a coupé le contact et s'est tourné vers moi. Il y a un autre truc que je pige pas, a-t-il dit. Toutes ces expériences, vous les faites dans le bâtiment qu'on est allés voir? Oui, ai-je répondu sans réfléchir. Mais alors, a-t-il poursuivi, si c'est là que vous travaillez, t'as déjà dû y venir pas mal de fois? Comment ça se fait que t'es même pas foutu de retrouver le chemin? Ah, oui, en fait non, ai-je dit. J'ai dû mal m'exprimer : ici, c'est seulement les bureaux, le hangar pour les tests se trouve ailleurs, dans le nouveau parc industriel qu'ils ont construit, tu sais, près de l'aérodrome. Et justement, mon rendez-vous avec le type, c'était pour qu'il me montre ses nouveaux bureaux. Là où il y a tous les ordinateurs? a dit Pierrot. C'est ça, ai-je répondu. Tiens, a-t-il dit, ça me fait penser à quelque chose. Ah non, me suis-je récrié, si tu comptes sur moi pour réparer le tien, tu frappes à la mauvaise porte. Je te rappelle que je suis électricien automobile, je ne m'y connais pas plus en informatique qu'en téléviseurs. C'est pas ça, a-t-il dit, c'est juste qu'avec le fils, on veut faire un site Internet. Pour faire connaître un peu le site, tu comprends. Oui, ai-je dit, un site pour le site, ça m'a l'air de se tenir. Parce que maintenant, a-t-il continué, si t'as pas un site, c'est comme si t'existais pas. Mon fils, l'informatique, il en connaît un rayon, de ce côté-là on est parés. Par contre, on cherche une phrase, un genre de slogan, tu vois, quelque chose de facile à retenir. Jusqu'ici, on a trouvé «Chez Pierrot la Casse, c'est ici que ça se passe». Mais toi qui écris des livres, t'es sûrement capable de trouver mieux. Comme dit le fiston, il faudrait un truc qui déchire grave, un truc qu'une fois que les gens l'ont dans la tête, ils arrivent plus à se le sortir dehors. Par exemple, tu prends «Carglass répare, Carglass remplace», ça c'est chié, tu l'entends seulement une fois, tu t'en souviens jusqu'à la fin de tes jours.

Alors, on s'est mis à chercher un slogan pour son site. Avec la nuit que je venais de passer et les douleurs que j'avais partout, une partie de rami je ne dis pas, mais une séance de brainstorming, je m'en serais franchement bien dispensé. «Carglass répare, Pierrot remplace», ai-je dit. Non, ça ne va pas, a dit Pierrot, on va croire que je travaille pour Carglass. Dans ce cas, ai-je proposé, «Pierrot répare, Pierrot remplace». Ça n'allait pas non plus, d'après lui ça faisait imitation. J'ai pensé à « Chez Pierrot, tout est beau », mais ça manquait de réalisme, puis à « Chez Pierrot, tout est gros », ça c'était plus réaliste, mais il n'allait sûrement pas apprécier. Il faudrait quelque chose avec Pierrot la Casse, a-t-il dit. J'ai suggéré « Chez Pierrot la Casse, tu passes et tu ramasses ». Il a trouvé que ce n'était pas mal, sauf que les gens allaient penser qu'ils pouvaient se servir gratis. Ce n'est pas ainsi que ça marche? ai-je demandé pour l'asticoter un peu. Allez, a-t-il dit, encore un effort, on est sur la bonne voie. « Chez Pierrot la casse, tu raques ou tu te casses », ai-je dit. On a continué ainsi un moment, chaque fois Pierrot disait que c'était bien, mais qu'il y avait moyen de trouver mieux. Jusqu'à ce que je sorte « Pierrot la Casse, Pierrot la Classe ». Formidable, a dit Pierrot. « Pierrot la Casse, Pierrot la Classe », c'est génial de chez génial, avec ça je double mon chiffre d'affaires, même que t'auras droit à une commission. Il a encore répété plusieurs fois la phrase, en imitant le ton des jingles publicitaires. Mon pote, je te le dis, tu es plus fort que Géo Trouvetout, permets que je t'embrasse. Et joignant le geste à la parole, voilà qu'il me colle un baiser sur la joue. Arrête, je lui dis, si des gens nous voient, ils vont se poser des questions. Pourquoi, tu trouves que j'ai l'air d'une tapette? a-t-il demandé avec un soupçon d'inquiétude. Oh, tu sais, ai-je dit, l'habit ne fait pas le moine. Tiens, au fait, a-t-il dit, je me suis posé une question, pendant que tu expliquais ton roman : les deux mecs sur leur montagne, ça seraient pas des pédés, par hasard? J'ai dit que non, jusqu'ici c'étaient des gens normaux, enfin des gens comme lui et moi, mais que ça pouvait toujours s'envisager, peut-être que ce serait bon pour les ventes, il fallait que j'en discute avec mon collaborateur.

29

À présent, on longeait de nouveau le canal, on ne devait plus être très loin de la maison de Pierrot. J'avais trouvé un autre slogan, à mon avis le meilleur de tous, en tout cas le plus approprié : « Pierrot se marre, Polo se casse ». Sauf que celui-là, je l'ai gardé pour moi. Je réfléchissais à un moyen de filer à l'anglaise, je jetais des regards discrets sur le côté, en essayant de repérer un endroit qui s'y prête, mais où on se trouvait c'était dégagé de partout. Je ne me sens pas très bien, ai-je dit. Je crois que je n'ai pas digéré quelque chose. Il s'est mis à fourrager sous le tableau de bord et en a sorti un sachet de papier brun. Des bonbons à la menthe, a-t-il dit, c'est bon pour l'estomac. J'en ai pris un, puis je lui ai tendu le sachet, mais sa main était trop large, il n'arrivait pas à l'entrer dedans. J'ai pris un autre bonbon et je le lui ai mis dans la bouche. On a continué à rouler à vitesse réduite. Au bout d'un moment, il m'a demandé si ça allait mieux. Je lui ai répondu que non, pas vraiment – en fait, je venais d'aviser un bouquet d'arbres, peut-être qu'en allant par-là je pourrais échapper à sa surveillance. Mais il est descendu avec moi et ne m'a pas lâché d'une semelle. Quand je suis remonté dans le pick-up, le revolver a glissé le long de ma jambe, il est sorti par le bas de mon pantalon et a rebondi contre le marchepied. J'ai hésité un bref instant, ne sachant trop s'il valait mieux le reprendre ou le laisser là. Mais naturellement cela n'avait pas échappé à Pierrot. Ho, Polo, a-t-il dit, t'as perdu quelque chose. Ah oui, ça, ai-je dit. Qu'est-ce que c'est? a-t-il demandé. Oh, rien, un genre de fer à souder, ai-je répondu en m'empressant de le ramasser et de le mettre dans ma poche. Ah ouais, un fer à souder, a-t-il fait. Moi, j'appellerais plutôt ça un fer à dessouder. Hein, qu'est-ce que t'en penses? Et tu fais quoi avec un engin pareil? Tu sais, ai-je affirmé, ce genre d'endroit n'est pas très sûr. Et puis, je te le rappelle, je travaille dans la balistique.

Il n'a rien répondu. Il a redémarré et on a roulé un moment en silence. Il était redevenu pensif, il conduisait si lentement que j'avais l'impression de suivre un corbillard. Tout à coup, il s'est de nouveau arrêté, a coupé le moteur et a mis le frein à main. Il s'est tourné vers moi et m'a dévisagé avec insistance. Écoute, Polo, plus j'y pense, plus je crois que tu me caches des trucs. J'ai serré les fesses en me demandant ce qu'il allait encore me sortir. Quand je t'ai vu, tu traînais au bord de l'eau, t'avais l'air de chercher quelque chose. C'est quoi que t'es venu faire au juste par ici? Parce que ton histoire de balade, permets-moi de te le dire, j'ai du mal à l'avaler. Surtout un dimanche à huit heures du matin. On est dimanche? ai-je fait, complètement perdu pour le coup. Ben non, mon pote, on est samedi, mais vu que tu retardes d'un jour, si je veux que tu comprennes samedi, il faut que je te dise dimanche, tu piges? Ça va faire quinze ans que je suis dans le bled, et j'y ai encore jamais vu un promeneur, même pas un de ces gars qui font du vélo ou du jogging. Faut dire que question décor et air pur, on peut difficilement trouver pire comme endroit. Il s'est tu un moment, il attendait peut-être que je réponde, mais j'avais déjà oublié quelle était la question. Hein, tu faisais quoi? a-t-il insisté. Il me regardait en plissant les paupières, et à mon avis ce n'était pas à cause du soleil. Bon, résumons-nous. T'es dans ton pieu, et comme t'arrives pas à dormir, tu décides d'aller faire un tour dehors. Jusqu'ici, pas de problème. Mais avant ça, tu vas dans ton jardin et tu commences à creuser un trou. Manque de bol, tu tombes dedans, tu t'esquintes la cheville et tu te pètes le front sur ton outil. Admettons encore, bien que ce soit déjà plus difficile. Quand t'as fini de creuser ton trou, tu t'en vas avec tes fringues pleines de terre, il fait un temps à ne pas mettre un chrétien dehors, seulement toi tu penses même pas à enfiler un imperméable. Puis quand je me pointe, je te trouve en train d'errer comme une âme en peine au bord du canal, avec une bosse sur le front et le dos en compote. Tu me dis d'abord que t'es venu à pied, puis que non t'es venu en voiture, que tu sais plus où tu l'a mise, qu'en plus t'as paumé les clés quelque part. Pour finir, tu prétends que t'as rendez-vous avec un ami ingénieur, mais que le type en question n'est pas venu, ou qu'il est venu et qu'il est reparti, ou qu'il est toujours là, mais où t'en as aucune idée. Je voudrais pas être contrariant, Polo, mais ton histoire, ça tient pas la route, c'est le cas de le dire.

Il s'est tu et il a attendu ma réponse. Malheureusement, je ne voyais plus quoi dire sans m'empêtrer davantage, un peu comme une araignée qui s'emberlificoterait elle-même dans sa toile. J'étais épuisé, j'avais la tête pleine de bouillie, à peine si je savais encore comment je m'appelais. Alors je me suis appuyé sur le rebord de la portière en feignant un malaise. Qu'est-ce qui se passe, a demandé Pierrot, ça ne va pas mieux? Non, ai-je dit, je crois que je n'ai pas digéré quelque chose. T'aurais pas bouffé de la salade de boulons, toi aussi? a-t-il plaisanté. Il a arrêté son camion, je me suis précipité dehors, courbé en deux par les spasmes. Ça va aller? a demandé Pierrot, qui ne savait où se mettre. C'est à cause des cahots de la route, ai-je dit, je sens que c'est en train de remonter. Non, blague à part, a-t-il fait, qu'est-ce que t'as mangé ce matin? Justement, ai-je dit, rien du tout. Ça doit être une indigestion nerveuse. À ce moment il s'est produit une chose inattendue : c'est qu'en faisant semblant d'être malade, j'ai commencé à le devenir pour de bon. J'avais la tête qui me tournait et des frissons dans tout le corps, j'ai bien cru que j'allais tomber dans les vapes. Je me suis assis un moment en attendant que ça passe. Pierrot s'agitait autour de moi, il répétait, ça va aller, ça va aller? Tu veux pas que j'aille te chercher quelque chose? Attends, bouge pas de là, je vais à la maison et je reviens. Du coup je me suis senti mieux, mais je me suis bien gardé de lui dire. C'était l'occasion ou jamais de me tirer de là, dès qu'il aurait le dos tourné, j'en profiterais pour mettre les voiles. Merci, ai-je fait, merci beaucoup. Reste là, hein, a-t-il insisté, j'en ai pour deux minutes. OK, ai-je répondu, je ne bouge pas d'ici.

Je me suis allumé une cigarette pendant qu'il remontait dans son pick-up. Puis il m'est venu un soupçon : et si Pierrot allait prévenir les flics? En y réfléchissant, je me suis dit que c'était sûrement ça. J'ai attendu qu'il ait disparu de mon champ de vision pour me mettre en marche. Je ne pouvais ni aller dans son sens, ni rebrousser chemin vers la casse. À moins de piquer une tête dans la flotte, la seule possibilité était de prendre à droite, là où se trouvaient quelques arbustes et un grand bâtiment en parpaings. J'ai coupé à travers la végétation, c'était plein de morceaux de béton et de ferraille dissimulés dans l'herbe, j'avançais prudemment à cause de mon dos, de ma cheville, de mon estomac et du reste, je ne tenais pas à me retrouver au fond d'un autre trou. J'ai pénétré dans le bâtiment, un ancien hangar à bateaux très sombre. Il a fallu un moment pour que mes yeux s'habituent à l'obscurité. J'ai contourné la carcasse d'une embarcation en bois soutenue par un échafaudage et je me suis retrouvé sur un plan incliné qui plongeait directement dans l'eau, de sorte qu'il était impossible d'aller plus loin. Je suis revenu sur mes pas, j'ai franchi une grande porte où pendaient des rubans en plastique, et je suis entré dans un hangar beaucoup plus grand que le premier, avec une immense péniche qui occupait presque tout l'espace. J'ai traversé d'autres bâtiments et bifurqué plusieurs fois, puis j'ai fini par me retrouver à l'air libre, sans pouvoir dire exactement où j'étais. J'ai encore marché un bon moment droit devant moi et j'ai débouché sur l'ancien chemin de halage, à l'instant précis où Pierrot revenait avec son camion. J'ai compris que je n'avais progressé que de quelques dizaines de mètres, après avoir décrit un arc de cercle qui m'avait pratiquement ramené au point de départ. J'ai cherché un endroit où me cacher, mais Pierrot m'avait vu et il a klaxonné après moi. Merde, je me suis dit, merde et remerde. Fallait-il vraiment que j'aie la tête dans le cul pour faire une chose pareille.

Il a arrêté son camion à ma hauteur et il est descendu d'un bond avec le chien à sa suite. Bordel, a-t-il gueulé, qu'est-ce que tu fous ? Je t'avais pourtant bien dit de m'attendre. T'as essayé de me semer, hein, mon cochon? Pas du tout, ai-je dit d'un air offensé, qu'est-ce que tu vas imaginer là? J'avais un besoin urgent, j'ai cherché un endroit à l'écart. À l'écart de quoi? a-t-il dit. Tout est à l'écart par ici, à part les rats il y a personne pour te mater. Il a sorti de sa poche un objet enveloppé dans du papier aluminium. Tiens, je t'ai apporté du clafoutis. Du clafoutis aux cerises, c'est ma femme qui l'a fait. J'espère que tu aimes le clafoutis. Oui, j'adore le clafoutis, ai-je répondu en enfournant la moitié du morceau d'un coup. Mmmm, excellent. Vraiment excellent. Je crois que je mourais de faim. Ben oui, c'est normal, a-t-il dit, creuser, ça creuse. Je n'ai pas relevé la feinte. Tu féliciteras ta femme, tu lui diras que c'est le meilleur clafoutis que j'ai mangé de ma vie. Tu lui diras toi-même, a fait Pierrot. Le clafoutis, c'est juste pour te caler un peu, après on aura de la pintade aux raisins, la pintade aux raisins, c'est la grande spécialité de Geneviève, je ne t'en dis pas plus. Tout à coup j'ai entendu un bruit sec et j'ai arrêté de mâcher. Au fait, a dit Pierrot, fais gaffe aux noyaux, elle les laisse à l'intérieur, paraît que ça donne un meilleur goût. Trop tard, ai-je dit, en retirant un morceau de dent de ma bouche. Pendant que je mastiquais avec prudence le reste du clafoutis, je cherchais un moyen de me sortir de ses griffes, hélas pour moi je n'en voyais aucun. Plus question de chercher à lui brûler la politesse, et pas davantage de refuser son invitation à manger. Ce Pierrot, il était pire qu'un doberman, une fois que vous lui donniez un os, il vous le nettoyait jusqu'à ce qu'il n'en reste plus une miette. Bref, la situation se présentait plutôt mal. Et pourtant, était-ce le fait d'avoir l'estomac lesté, elle me paraissait moins catastrophique qu'il y a encore quelques minutes. Je me suis dit avec fatalisme qu'il ne servait à rien de me ronger les sangs, qu'il serait toujours temps d'aviser en fonction de la tournure que prendrait la discussion pendant le repas.

À ce moment, j'ai senti quelque chose à l'arrière du mollet gauche. Quelque chose d'humide et de tiède. Je me suis retourné et qu'est-ce que j'ai vu? Ce crétin de Joseph en train de se soulager sur ma jambe. Nom de Dieu, j'ai hurlé, espèce de saloperie. Je lui ai flanqué un grand coup de latte, il a couiné deux ou trois fois et s'est éloigné de quelques mètres. Ce chien, a dit Pierrot, c'est vraiment une engeance, si seulement j'arrivais à m'en débarrasser. On pourrait le jeter dans le canal, j'ai dit. Oui, a répondu Pierrot, j'y ai pensé plus d'une fois, mais je n'en ai jamais eu le courage. Et puis j'ai peur qu'il se débatte et qu'il attrape de l'eau dans les poumons, il m'a fait déjà une demi-douzaine de pleurésies. Attends, j'ai dit, j'ai une meilleure idée. Ah oui, il a dit, et quelle idée? Je n'ai pas répondu à sa question. Ma main s'est glissée sous mon pull, là où il y avait le flingue du type. Je l'ai sorti très lentement, à ce moment le chien s'est mis à pousser de petits aboiements plaintifs, il sautillait autour de moi en agitant frénétiquement la queue, flap flap flap flap – il croyait peut-être que j'allais lui donner une friandise. En voyant ma main tendue, il est revenu près de moi et s'est assis sur son postérieur, collé tout contre ma jambe. J'ai pointé le canon entre les deux yeux, en même temps j'ai fermé les miens, j'ai appuyé sur la détente et le coup est parti. Il y a eu comme un bruit de linge qui claque au vent, sans doute un volatile effrayé par la détonation, et puis il s'est mis à flotter dans l'air une odeur âcre de poudre brûlée.

30

Quand j'ai rouvert les yeux, le chien était couché sur le dos, les pattes de devant à moitié repliées, tout agitées de tremblements convulsifs. Il a encore eu deux ou trois soubresauts, puis ses pattes se sont détendues peu à peu, sa tête s'est inclinée sur le côté, le museau poissé de sang, la langue pendante, et il a cessé de bouger. Je me suis tourné vers Pierrot. Il avait la bouche grande ouverte, ses lèvres remuaient dans le vide, son regard allait du chien au revolver et du revolver au chien. Eh ben merde alors, a-t-il réussi à articuler après un long moment. Il a répété les mêmes mots à plusieurs reprises. Il a levé le bras dans ma direction, puis l'a laissé retomber. Il s'est agenouillé près du corps et lui a caressé le flanc. Quand il s'est relevé, des larmes coulaient sur ses joues, il les essuyait avec le revers de sa manche. Pauvre Joseph, a-t-il dit. Pauvre vieille bête. Je lui ai tapoté l'épaule. Crois-moi, l'ai-je assuré, ça valait mieux comme ça. Oui, t'as raison, a-t-il dit. Au moins maintenant, il ne souffrira plus.

On s'est recueillis quelques instants sur le cadavre. Ça lui aurait fait quel âge? ai-je demandé. Il allait sur ses dix-sept ans, a répondu Pierrot. Il les aurait eus le vingt-quatre décembre, il est né la veille de Noël. Donc, en réalité, ça lui aurait fait combien? Dix-sept ans, je viens de te le dire. Oui, en vie de chien, mais en vie d'homme, ça correspond à quoi? Il paraît qu'il faut multiplier par sept. On s'est mis à calculer mentalement, mais on n'arrivait pas au même total, moi je disais cent douze, lui cent vingt-quatre. Alors il a sorti une calculette de la poche de son jogging. En réalité on se trompait tous les deux, le bon chiffre c'était cent dix-neuf. J'ai émis un petit sifflement. Cent dix-neuf balais, ai-je dit, ça fait un bail. Oui, a approuvé Pierrot, y a pas à dire, il aura bien profité. Encore un peu, il aurait dépassé Jeanne Calment, ai-je dit. C'est qui, Jeanne Calment? a demandé Pierrot. La femme la plus vieille du monde, ai-je dit. Quand elle est morte, je crois qu'elle en était à cent vingt-deux. Ton chien, il ne lui aura pas manqué grand-chose, encore trois ans et il la dépassait. Trois ans, a répété Pierrot, songeur. Trois ans, tu veux dire, trois ans en vie d'homme? Mais en vie de chien, ça fait combien? Sa remarque n'était pas dépourvue de pertinence. Par contre, quand il a dit qu'il fallait multiplier par sept, j'ai bien dû lui dire qu'il se trompait, qu'il fallait diviser et non pas multiplier. C'est juste, a-t-il dit en ressortant sa calculette. Le résultat de l'opération donnait 0,43. Quatre mois et des poussières, a dit Pierrot. Non, ai-je dit, tu comptes en système décimal, mais les mois ça va par douze. Écoute, a-t-il en me donnant la calculette, je ne comprends rien à ce que tu me racontes, il vaut mieux que tu fasses ça toi-même. Au moyen d'une règle de trois élémentaire, je suis arrivé au chiffre de 0,36 mois, que j'ai ensuite converti en jours, ça faisait un peu plus de dix. Quand j'ai annoncé le résultat à Pierrot, il a dit, c'est rageant qu'on se soit pas rencontrés un peu plus tard. De toute façon, ai-je dit pour qu'il n'ait pas de regret, Jeanne Calment, depuis elle a été battue, il y a une femme dans le Caucase, elle en est déjà à cent trente, et elle n'a pas encore fini. Où ça? a-t-il demandé. Dans le Caucase. Un pays près de la Russie. Les gens et les animaux vivent très vieux, il paraît que c'est à cause de l'air des montagnes, et aussi parce qu'ils boivent un tas de produits à base de lait fermenté. Joseph aussi, il buvait du lait fermenté, a dit Pierrot. Peut-être qu'il était de race caucasienne, ai-je dit. Tu parles, a fait Pierrot, je l'ai ramassé dans la rue, lui c'était le bâtard de chez bâtard, le corniaud dans toute sa splendeur.

On est encore restés silencieux un moment, puis Pierrot a demandé ce qu'on allait faire du corps. Il a proposé qu'on l'enterre. Toi qui es spécialiste des trous, a-t-il dit, tu nous auras vite fait ça. Oui, ai-je dit, mais il faudrait une pelle. Pas de problème, a-t-il dit, j'en ai une dans le camion, je vais te la chercher. Attends, ai-je dit, une pelle ne suffira pas, ici le sol est dur comme de la pierre. Il nous faut au moins une pioche, sinon on ne va pas y arriver. Pierrot a soupiré, j'ai pas de pioche, a-t-il dit, un cric, ça peut pas faire l'affaire? Je crains que non, ai-je dit. Attends, j'ai une meilleure idée : si on se contentait de le jeter dans la flotte? La vérité est que je n'avais pas envie de creuser un trou, les trous je commençais à en avoir plein le dos. Pierrot n'a pas répondu, il n'arrivait pas à détacher ses yeux du chien, comme s'il avait du mal à croire qu'il était vraiment mort. Au bout du compte, il s'est rallié à ma proposition. Joseph a toujours aimé patauger dans l'eau, a-t-il dit, ainsi il sera dans son élément. On a empoigné le corps, moi par les pattes avant, lui par les pattes arrière, et on s'est mis à le balancer. Au moment où je lâchais mes pattes, enfin les pattes de Joseph, Pierrot a gardé les siennes, celles de Joseph, dans ses mains, si bien que le corps a heurté le sol la tête la première. Qu'est-ce que tu fais? ai-je demandé. Il me vient un doute, a-t-il répondu. T'es sûr qu'il est vraiment mort? Évidemment, ai-je dit, une balle à bout portant, crois-moi, ça ne pardonne pas. Mais lui n'avait pas l'air plus convaincu que ça. Veux-tu que j'en tire une deuxième? ai-je proposé à toutes fins utiles. Ça changera quelque chose? a-t-il demandé. Non, ai-je répondu. Alors ne le fais pas, a-t-il dit.

Finalement, on a repris Joseph par les pattes, ce coup-ci Pierrot a tenu bon, on a jeté le cadavre dans l'eau. On l'a accompagné le long de la berge, les mains croisées devant nos parties génitales, comme quand on va à la

communion ou qu'on suit un enterrement. À un moment, il s'est pris dans les branchages et a cessé d'avancer. On peut pas le laisser là, a dit Pierrot. Les enfants l'adoraient, si jamais ils le découvrent, ils vont en faire une maladie. En cherchant autour de nous, on a trouvé le tronc d'un jeune bouleau et on s'en est servi comme d'une perche pour repousser le corps. Mais chaque fois qu'on arrivait à l'éloigner un peu, il revenait s'accrocher dans les branches, à croire qu'il ne voulait pas nous quitter. Je me suis décidé à entrer dans l'eau, j'ai saisi le chien par le collier et je l'ai remorqué en m'éloignant du bord. Il faisait peine à voir, avec ses poils tout collés et maculés de sang, on aurait dit une vieille serpillière. J'entendais Pierrot qui me criait depuis la berge, fais gaffe, c'est dangereux, c'est plein de remous là-dedans, il y a déjà des gens qui se sont noyés. Moi je ne l'écoutais pas, j'avais de l'eau jusqu'à la ceinture, je devais faire attention pour ne pas glisser, à cause des pierres couvertes d'algues au fond. Finalement je suis arrivé au milieu du canal et le corps s'est mis à dériver tout seul. Il s'est enfoncé, est remonté à la surface, puis a disparu de nouveau, emporté par le courant. Alors que je faisais demi-tour, j'ai senti une douleur dans les reins, mon pied a ripé sur une grosse pierre ronde, j'ai battu l'air avec les bras pour garder l'équilibre, mais je n'ai pas pu m'empêcher de tomber dans l'eau. Nom de Dieu, hurlait

Pierrot en faisant des petits bonds sur place, qu'est-ce que tu fiches, je te l'avais bien dit, reviens ici tout de suite. Il était drôle lui, comme si ça m'amusait de barboter dans ce putain de canal.

Lorsque j'ai regagné la berge, l'eau ruisselait de partout, je grelottais de tous mes membres, mes vêtements me collaient à la peau. On s'est remis à marcher sur le chemin. À chaque pas que je faisais, de l'eau sortait de mes chaussures avec un petit chuintement. On a suivi le chien jusqu'à l'endroit où le canal se jette dans le fleuve, puis on a grimpé l'escalier qui mène au pont, on a traversé la voie ferrée et on est allés se poster devant le garde-fou. Le corps a refait surface une dernière fois avant de couler définitivement, englouti par les eaux boueuses du fleuve. C'est alors que j'ai recommencé à me sentir mal, mais vraiment mal cette fois. Une sueur glacée me dégoulinait sur le front, dans le cou, le long du dos. Ma tête s'est mise à tourner, il a fallu que je me tienne à la rambarde. Ça ne va pas? a demandé Pierrot. Ce n'est rien, ai-je dit, ça va passer, c'est l'émotion. Mais ça ne passait pas, que du contraire, j'avais les oreilles qui bourdonnaient, le sang cognait à grands coups espacés contre mes tempes, je tremblais comme une feuille et je claquais des dents, je crois bien que j'étais en pleine crise d'hypothermie. Soudain, j'ai eu un haut-le-cœur, suivi d'un autre, puis d'un troisième, je me suis penché sur le garde-fou et j'ai vomi tout le clafoutis aux cerises. J'avais encore quelques noyaux en bouche, que j'ai sortis avec mes doigts et jetés dans l'eau. Je me suis laissé glisser le long de la rambarde, aspirant l'air à longs traits saccadés. Je fixais un morceau de poutrelle grand comme un mouchoir de poche, tous les détails m'apparaissaient avec une netteté stupéfiante, les boulons, l'ombre des boulons, les éclats dans la peinture grise, une minuscule bestiole qui rampait la tête en bas, un papier alu arrivé là je ne sais comment.

Pierrot a enlevé la veste de son jogging et me l'a passée sur les épaules. Puis il s'est mis à me donner de petites tapes amicales dans le dos. J'entendais sa voix qui me disait, là, là, c'est tout, c'est passé maintenant. Et de fait, au bout de quelques minutes, j'ai commencé à me sentir mieux. Je me suis aperçu que je tenais le revolver dans ma main, sans pouvoir dire s'il ne l'avait pas quittée ou si je venais de le ressortir de ma poche. Je l'ai regardé longuement, fixant le petit trou rond et noir, pareil que si ça avait été une bouche, et que cette bouche allait se mettre à me parler, à me raconter quelque chose que je ne savais pas, ou quelque chose que j'avais su et que j'avais oublié. Alors j'ai repensé au type. Au type qui avait disparu, qui m'avait laissé tomber lâchement. Je me suis dit, ça ne se passera pas comme ça, tu ne vas pas t'en tirer ainsi, qu'est-ce que tu t'imagines, pauvre mec. Le monde n'est pas si grand, j'ai les moyens de te retrouver, je finirai bien par te mettre la main dessus, même si pour ça je dois remuer ciel et terre. J'exigerai que tu me rendes des comptes, que tu m'expliques quelle sorte de jeu tu as joué avec moi, pourquoi tu m'as attiré dans ce traquenard. J'exigerai aussi que tu me fasses des excuses, ce qui est vraiment la moindre des choses, et que tu me rendes ma part de l'argent, de cet argent que tu m'avais promis et que tu as emporté avec toi, y compris les dix mille euros pour la réparation, et tant qu'à faire je récupérerai ma veste, une veste en cuir de première qualité. J'ai continué à me monter le bourrichon un bon moment, quand tout à coup je me suis rappelé un détail. En emportant ma veste avec l'argent qu'elle contenait, sans parler de mon portefeuille et de la clé pour rentrer chez moi, le type avait aussi emporté le journal où il y avait son numéro de téléphone et sa plaque minéralogique, en plus des noms de ses foutus philosophes. Là-dessus je me suis mis à râler de plus belle, sauf que ce n'était plus après lui que j'en avais, c'était après moi, après ma lâcheté, ma stupidité crasse. J'avais eu dix fois l'occasion d'en finir, de lui régler son compte une fois pour toutes. Au lieu de quoi, pauvre idiot que j'étais, je lui avais prêté une épaule compatissante, j'avais tendu l'oreille à ses lamentations, j'en avais même rajouté, tout ça

c'était de ma faute, je n'avais qu'à m'en prendre à moi-même.

Ça va aller? a demandé Pierrot. Tu crois que tu vas pouvoir tenir sur tes quilles? Oui, ai-je dit, je crois que ça va aller. Putain, c'était horrible, j'ai vraiment cru que j'allais crever là. Il m'a pris sous les épaules et m'a aidé à me relever. Merci, ai-je dit, merci beaucoup. C'est moi qui te remercie, a-t-il dit, tu m'as rendu un fier service. Je me suis demandé à quoi il faisait allusion. Puis j'ai vu la laisse qui pendait dans le vide, la laisse du chien sans le chien au bout, et alors j'ai compris ce qu'il voulait dire. Un air de musique guilleret s'est fait entendre, il m'a fallu un moment pour réaliser que ça venait du portable de Pierrot. C'est la bergère, a-t-il dit, il faut qu'on y aille tout de suite, sinon les pintades vont cramer et on sera bons pour aller s'acheter un hot-dog. Pendant qu'on mangera, tu me raconteras pour le revolver et tout le toutim, parce que j'ai l'impression que tu me caches encore pas mal de choses. D'accord, Pierrot, ai-je dit en soupirant, je te raconterai tout. J'ai pensé que si j'avais pu être seul, attablé devant un hot-dog, dans un fast-food à l'autre bout du monde, j'aurais volontiers renoncé à la pintade aux raisins de Geneviève. Car je ne doutais pas une seconde que, pendant qu'on dégusterait ce délicieux repas, Pierrot se ferait un plaisir de revenir avec ses questions, de me cuisiner à petit feu jusqu'à ce que je crache le morceau – jamais l'expression « passer à table » n'aurait été mieux employée.

À ce moment, il y a eu un grondement au loin, puis le grondement s'est amplifié et tout s'est mis à vibrer autour de nous. J'ai vu un train s'approcher à l'autre bout du pont, une locomotive diesel jaune et vert qui avançait avec lenteur, suivie de plusieurs wagons avec des cornues emplies de fonte. Quand il est passé à notre hauteur, on a senti le souffle chaud du liquide en fusion. Il a klaxonné deux fois, un son bref et aigu suivi d'un autre plus long et plus grave, le conducteur dans sa cabine a fait un geste à notre adresse, puis il s'est éloigné dans un formidable fracas de ferraille. J'ai suivi le convoi des yeux jusqu'à ce qu'il disparaisse dans le tournant, j'ai continué à regarder même quand j'ai cessé de le voir, puis je l'ai entendu qui klaxonnait de nouveau, peut-être après d'autres types sur un autre pont. Je me suis dit que le monde devait être plein de types sur des ponts, et plein de conducteurs qui klaxonnaient après les types sur les ponts, et je les ai enviés de filer ainsi tout droit, j'aurais tellement voulu être à leur place, refaire le même trajet tous les jours, sans jamais dévier de la trajectoire, sans rien d'autre à penser que de maintenir la machine sur les rails.

Comme un chien

roman de Daniel Arnaut
accompagné des dessins
de Guy Prévost
a été imprimé en janvier 2011.

Dépôt légal n° 7.172/2011/01
ISBN 978-2-35984-014-8

Esperluète Editions
9 rue de Noville
5310 Noville-sur-Mehaigne
Belgique

www.esperluete.be

Imprimé en Belgique.